小学館文庫

日本で見られる現代アート傑作11

秋元雄史

小学館

はじめに

なぜ傑作を見るべきなのか？

日本にはたくさんの現代美術の名作があります。わざわざ海外まで見に行かなくてもいいほどクオリティの高い作品が存在します。それに欧米のアートファンが見に来るほど素晴らしい作品もあります。昔は、海外の人たちが興味をもつといえば日本の古典文化に限られていましたが、今では日本の近・現代文化の中にも十分興味を引くものが出てきました。

この本では、そんな日本で見られる傑作の中から、絶対に見ておいたほうがいいトップレベルの現代アート11作品を選びました。世界的に見ても遜色（そんしょく）はありません。タイプも異なり、主題も異なるものを選びました。関連作品も併せて紹介し、さらに、現代アートを見るのにどんな考え方をすると理解しやすいかも考えて解説を加えました。

あまり概論的になるのも面白くないだろうと思い、自分が観客として見るならこんなふうに思うだろう、といった視点から解説をしています。また、私が制作に関わったアーティストやプロジェクトのところは、そのときの様子も加えました。私とその作家、プロジェクトとの関係もわかるでしょうし、そこで考えていたことも伝わると思います。

では、なぜ優れた作品を見たほうがいいかといえば、それが現代アートを理解する早道だからです。傑作と呼ばれる作品には人を素直に感動させる力があります。見ればその凄さが伝わってきて、大方の人たちは感動するでしょう。四の五のいうより先に、傑作の前に立ってみたほうが理解が早いのです。

これは美術に限ったことではなく、他のものにも当てはまる、当たり前といえば当たり前のことです。例えばオリンピックなどで、それまで見たこともないスポーツを見ます。ほとんどルールを知らないので理解できないはずが、トップレベルの試合に感動して、それ以後そのスポーツが好きになったということがあるでしょう。感動するというのは、そのスポーツを知っているとか知らないということとは関係がないのです。

たとえルールを知らなくても、トッププレイヤーの鍛え抜かれた身のこなしや、卓越した技のぶつかり合いによって、そのスポーツの醍醐味を感じるのは、一流のもののもつ凄さを肌で感じるからです。

現代アートも同じです。傑作を見ることで、その凄さを直に感じるのです。

まずは才能あるアーティストの作品を見る、それもそのアーティストの代表作を見ることです。例えばピカソにしても、『ゲルニカ』などの名作を見るに越したことはありません。ピカソであっても凡作があるわけで、名前につられてその凡作をいくら見ても、ピカソの本当の凄さを理解することは難しいでしょう。かえって「何がいいの？」とますます混乱してしまいます。それでは目は肥えません。やはり初心者だからこそ、いい作品、最高傑作を見るべきなのです。

ここで紹介する作品は、いい作品というだけでなく、種類も様々です。静かに感動する作品、微笑みたくなる作品、涙が溢れてくる作品、「凄い！」と声を上げたくなる作品、といろいろです。

感じたら、言葉にしてみる

現代美術の鑑賞方法で、よく耳にするのが次のようなものです――「自分の感じるままに感じればＯＫ」。

現代美術への接し方は、自由に感じることが大切で、それを楽しめばいいといわれます。なぜかといえば、表現する側も自由気ままにつくっているのだから、ということらしいのです。これは、自分が思うことやそのときの感覚、感情を大切にする近代以降の美術、とりわけ現代美術でよくいわれます。そういわれると、聞いたほうも何となく「ああっ、そうか！」と納得してしまいます。

でも実際には、路上で拾い集めてきたゴミのような物体（作品なのですが）や、子供の落書きのようなグルグルとした線が描かれている絵を目の前にして、そんな鷹揚な構えで見ることができる人はほとんどいません。これは専門家といえども同じで、まったく見たことのないものを初めて見たときなどは、湧き起こる感情や捉えどころのない感覚を落ち着かせるのに、必死になって「言葉を探す」というのが実のところなのです。

はじめは「これは何が描いてあるんだ！」という素直な反応でいいのです。

そして、生理的で反射的とも思えるこのモヤモヤとした気分を捕まえ、納得させるためにも、言葉が必要なのです。でないと、人によっては、奇声を上げて絵に突進しかねない心理状態になります。

芸術作品を巡る言葉は、「理性をもった人間の振る舞いの集積」ということになりますが、それらは初歩的なところでは「感想」や「解説」の類に始まり、専門的になると「美術史的」あるいは「美学的」になり、また、ぐっと哲人的な領域になると、一気に「世界把握に至るような詩の領域」にまで突入していきます。

理性的な人間を前提にした文化的な行動においては、言葉と芸術は大いに関係しているのです。それどころか、言葉なしには現代アートは理解できないのではないか、といったふしもあります。

古今東西に出回る膨大な数の評論集を想像すると納得できるでしょう。フランスの思想家、ロラン・バルトが前述のグルグルを描くアメリカの画家、サイ・トゥオンブリーの一枚の絵から長大なエッセイを書き起こす、といった類の話はいくつもあるのです。

それではどうやってロラン・バルトばりに現代アートを解釈する達人になったらいいのでしょう。そこまでいかないにしても、楽しめるようになるにはどうしたらいいか。

例えばスポーツ観戦で、贔屓のチームを応援する人、ゲームの成り行きを楽しむ人、プレイヤーを追いかける人、と見方はそれぞれですが、異なる見方でも、みな同じように楽しんでいます。

ロラン・バルトにしても、サイ・トゥオンブリーの作品の見方の正解を出したわけではなく、ただ大いに自分なりに楽しんだ結果、それが並の人が考える以上の面白い解釈を生み出したということなのです。

自分なりの面白さを見つける参加型の解釈

そう考えると、解釈すること自体が、ちっとも受動的なことではなくて、積極的な参加のようにも思えてきます。

ロラン・バルト級にアーティストに影響を与えるほどの評論家にならなくても、少なくとも作品の前で自分なりにあれこれと考え、想像をふくらませるのは楽しいことです。居場所を失うような妙な劣等感や焦りを感じることなく、前向きな気持ちで作品と向き合えるでしょう。

そうなれば、作品からやられっぱなしな気分から解放されて、「むむっ、私はこういうものに対してこんなふうに考えていたのか」とか「こんなふうに世の中を見る人がいるのか」とか、認識を介した理性的な態度をもって、目の前にある混沌(こんとん)とした(ように見える)アート作品に接することができるのです。

この本でも紹介するアメリカの現代アーティストであるウォルター・デ・マリアは、「いい作品ほど多様な解釈を生む」ということをいっていて、答えがひとつでないことをむしろ正しいと考えています。そう考えると、「鑑賞する」というのは作品に何か新しい意味を付け加えること——そんな気になってきます。

千利休（せんのりきゅう）の朝鮮の飯（めし）茶碗の茶道への転用が、「見立て」という、ものの解釈に関わる問題だったということは、ご存じの方もいるでしょう。単なるそこらの飯茶碗が、最高級のアートになってしまったのです。鑑賞し、解釈することは、次の何かをつくる、とてもクリエイティブなことにつながっています。

作品を知識の力を借りて見てもいいし、アーティストの生き様に共感しながら見てもいいし、自分の直感を頼りに感じていってもいいのです。

この本の中には、今挙げたような鑑賞の仕方をしているところがいくつもあります。自分らしい言葉で何かを発する、何らかのかたちでリアクションすることが大事です。ただ見るだけでは心の中のモヤモヤは残ったままです。こちらから行動を起こすように言葉にしてみましょう。

ただ「行動の仕方」はくれぐれも慎重に。あまりにも直接的に反応した結果、悲劇を招くこともあるという例をお話しします。

フランスのある美術館で起きた、先の「グルグル巻きの絵」の画家、サイ・トゥオンブリーの作品にまつわる出来事です。

自称芸術家の若い女性が、目の前の絵に惚（ほ）れ込んでしまい、思わずキスして真っ赤な口紅跡を残してしまったのです。自分の感じるままに「行動」した結果でした。

優れた芸術に感動した際の芸術家の表現としては微笑ましいのですが、約2億円の芸術品に損害を与えた容疑で逮捕され、刑事事件の被告として出廷するはめになったのでした。ある意味、見事な反応なのですが、「湧き起こる感情」のままに行動に移すだけでは、理解の輪は広がらないのです。

やはり、どんなにモヤモヤを想起する作品の前であっても、理性的に「言葉」をもって対応したほうが得策のようです。この本が皆さんにとってそのためのひとつのきっかけになれば幸いです。

さあ、自分の言葉をもって現代アートの前に立ってみましょう。

目次

Art 1

人が集まる空間に命を吹き込む彫刻の力

安田 侃
Kan Yasuda

「安田侃彫刻美術館アルテピアッツァ美唄」
●北海道・美唄市

『意心帰』
●東京都・港区

彫刻と自然が共鳴する情景

北海道美唄市。かつて炭鉱で賑わった町に、訪れる人の心を平穏にする、「理想郷」のような場所があります。その名は、「安田侃彫刻美術館アルテピアッツァ美唄」。この町で生まれ育ち、今はイタリアと日本で活動する・安田侃が中心になって設計し、1992年にオープンして以降もつくり続けられているアート空間です。ちなみに「アルテピアッツァ」とは、イタリア語で「芸術広場」の意味です。

廃校となった小学校の跡地を中心とした敷地は、およそ7万平方メートルもの広さがあります。大きな空が頭上に広がり、視点が遠くへと向かいます。さすが北海道は広く、地形はゆるやかです。冬は厳しい寒さが続きますが、暖かくなり、緑が芽吹く頃になると、この地は生命感に溢れてきます。「大地」と呼びたくなる場所に、安田の彫刻が点々と置かれて、妨げられることのない視界の中で、それぞれの力学をもった作品が美しく存在しているのです。

芽生えたばかりの種を2つ合わせたような形をしたブロンズ彫刻の門（『帰門』という安田の作品です）をくぐると、右手に今はギャラリーとして再利用されている旧校舎、左手にアートスペースとなっている旧体育館が、木立の中に見えます。

その間に奥の丘へ続くなだらかな傾斜地があり、中核的な施設である「水の広場」が設けられています。その名の通り、イタリア産の大理石の玉石を敷き詰めた、幅2・5メートルの水路と直径12メートルの丸い浅い池が絶妙な間隔で並び、さらに水路の中央部と奥の丘を結ぶように、2つの彫刻作品が置かれます。手前のフォークの頭のような形の作品が『天沐』、奥の矩形の額縁のような作品が『天聖』という題です。

安田の作品名は、少し難しい言葉が多いですが、古い漢語というわけではなく、多くは作者の造語です。これらの題名が、作品に込められた意味を考えるきっかけになるように付けられているのは明らかです。『天沐』と『天聖』の場合、大地にしっかりと屹立した彫刻を、天と地をつなぐ存在に見立てているのです。

その場に立つと、2つの作品の間を、あたかも自然のエネルギーが通り過ぎているように感じられます。どちらの彫刻も白い大理石でできていて、つるりと磨き上げた仕上げの多い安田の作品にしては、粗いノミ跡が残るもので、形にしても丸みのあるものではなく、どちらかというと角張った形の造形です。

夏には、子供たちが水路や池で遊び、無邪気な声が広場全体に広がります。作品の静謐な雰囲気との対比が面白く、子供たちの姿までアートの一部になったようです。

もちろん作者は、そこまで十分に計算しているでしょう。

そのほか、「アルテピアッツァ美唄」全体では、約40点の作品が、ほどよい間合いをとって置かれています。それらは安田のお気に入りのタイトルをもつ作品ばかりです。『天秘（てんぴ）』『意心帰（いしんき）』『帰門』『妙夢（みょうむ）』『天翔（てんしょう）』など、これまで同じタイトルの作品をいくつもつくってきました。そのたびごとに作品の形態は変化していきます。

大胆な変化もあれば、そうでないものもありますが、ひとつのタイトルを巡って様々なイメージがあります。同じタイトルの作品が世界中に散らばり、それぞれ居場所を見つけて落ち着いています。

一方で、「アルテピアッツァ美唄」では、世界中に散らばったものがひとつずつ集合して、安田のこれまでの美術的な冒険の軌跡を描き出しています。

ときおり新作も加えられ、今も安田が手塩にかけて育てているのがわかります。

彫刻の置き方は、地形や植生、そして古い建物と調和するよう、考え抜かれています。たいへん存在感のある彫刻にもかかわらず、背景と溶け合っているので、押し付けがましい威圧感はありません。どの作品も見る角度によって違う表情を見せるので、緑に囲まれた広場を進むにつれ、彫刻と自然と建物が織りなす風景が刻一刻と変わります。

安田侃彫刻美術館アルテピアッツァ美唄－水の広場／彫刻：安田侃

『天聖』側から見た「水の広場」。『天沢』の左後方に丸池と旧校舎（現ギャラリー）が見える。

まるで安田の彫刻が、「アルテピアッツァ美唄」という空間に命を吹き込んでいるようです。散策していると、この場全体が呼吸をし、うごめいているように思える瞬間があります。同時に、自分の心も大自然とひとつになったような開放感を覚えます。彫刻広場の良さは、自然に寄り添う彫刻を通して自然と向き合うことができることです。難しい理屈をいわなくても、木々の緑や空や雲が彫刻と共鳴して、えもいわれぬ美しい情景をつくり出しているので、そこに身を置き、時を過ごすことで、十分に美的な時間を体験していることになるのです。

石の町ピエトラサンタでマエストロになる

安田は、大理石で彫刻をつくるという、古代ギリシャ・ローマの時代から変わらぬ手法で作品をつくっています。太古の方法を受け継ぐアーティストは、本場のイタリアでも少なくなっており、世界的にも稀有(けう)なアーティストです。

若い頃は様々な素材を用いて具象的な作品をつくっていましたが、1970年代、20代半ばでイタリアに渡り、大理石彫刻の力強い表現こそ自分の道と決めます。

北イタリアには、大理石の産地カッラーラ、隣町の石工の町ピエトラサンタがあり、ルネサンス時代の巨匠ミケランジェロも、ここで採られた大理石を用いていました。

安田は、ピエトラサンタに腰を落ち着け、大理石と格闘し続けました。

その過程で、安田の作品は抽象的になっていきました。それこそミケランジェロなどの歴史的な名品を見ているうちに、いい加減な表現をしていては良いものはできないと思い定め、自分にしかつくれない形を模索するうちに、まずは卵形の彫刻作品が生まれました。それ以来、基本的に彼の作品は抽象です。ミケランジェロが、古代の英雄ダヴィデの姿を借りて高い精神性を表現したように、安田は抽象的な形に命を与えました。

当初は現地の人も、「東洋人に大理石が扱えるか」と冷ややかに見ていたかもしれませんが、やがて安田の技量を認め、「マエストロ（一流の芸術家）」として尊敬するようになります。それは、西洋人が漆器の産地で、匠（たくみ）と呼ばれる職人になるのに近いでしょう。

大理石は、彫刻の素材としては柔らかい部類です。また一定の方向に割れ目が生じやすい「目」をもっているので、思いのままに直線や曲線を彫るのは難しいとされています。ノミをほんの少し入れただけでも、目に衝撃を与えれば、大きく割れてしまうことがあるのです。それに、調子に乗ってノミを入れていけば、すぐに削りすぎてしまい、取り返しのつかないことになります。それを安田は、完全にコントロールしています。

彼の制作の現場を訪ねたことがあるのですが、大作に取り組む前に、必ず机の上に載るような小さなサイズの作品をつくっています。巨大な壁画などを描く前に、下絵を描いて構成を決めるのと同じです。そして小さな作品は、本作と同様に高い完成度で仕上げられています。その形を、そっくり何倍にも大きくしたものを彫り上げるのです。

「水の広場」に置かれた『天沐』『天聖』といった巨大な作品の場合、つくるのに必要な石は、高さ数メートル、重さ数十トンにもなります。そこから作品を彫り出していき、形として残るのは4割ほどにすぎません。残りはノミで削られ、石屑になるのです。

石材は基本的に、作家の買い取りです。表面からは見えない欠点が、裏や内部にあるかもしれませんが、石切り場でそれを確かめることはできないといいます。極端なことをいえば、巨大な石材を買って彫り進んだ挙げ句、全てが台無しになることもあるそうです。その失敗をしないためには、数多く現場を踏み、眼力を鍛えるほかありません。

もうひとつの方法は、経験を積んだ名石工を雇い、パートナーになることですが、どちらにしても石材というリスクの高いものを相手に、石材屋や職人に見下されない技量を身に付けていなければ話になりません。そうでなければ、石の町、ピエトラサンタでは生きていくことさえできないのです。

安田は、ひとつの彫刻作品はひとつの石から削り出されないと、作品の力が弱まると信じています。実際、大きな大理石にはひとつの力が宿っています。ですから、小さな部材を集めて組み立てる方法を基本的には取りません。安田作品の気品のある緊張感は、このような一見無駄にも思える作業を経たうえで得られたものなのです。

そうした姿勢もまた「大理石の中にはあらかじめ像があり、彫刻家はそれを発見するだけだ」といった、ミケランジェロを彷彿(ほうふつ)させます。

「無限の曲線」がもたらす有機的な温かさ

安田の当初の抽象表現が「卵形だった」といいましたが、以後も曲線的な作品を多くつくっています。そちらを先に見た人は、安田作品といえば曲線を駆使した造形、というイメージを抱かれているかもしれません。

曲線系の作品に共通した特徴は、硬い石なのに、どこか柔らかい印象があるところです。『天沐』『天聖』のような矩形系の作品でも、ある種の柔らかさを感じるのですが、曲線系の場合、より顕著になります。

一見シンプルな形に思えますが、けっして単純な曲線ではできていないのです。彼の代表作に『意心帰』と呼ばれるシリーズがあります。題名は「何かを求めた心が帰ってくる場所」といった意味でしょうか。涙形を横にしたような形状ですが、地面からニョキッと生えた可愛い生き物のようにも見えます。人の心を和ませずにはおかない造形です。

無機物である石に、有機的な温かさをもたらすのは、単純な幾何学的な形状に収まらない曲線なのです。計算式で表せるような二次曲線や三次曲線はひとつもありません。建築や土木では曲線を表すのに半径のｒの長さを用いますが、安田がつくる曲線は、そのｒが常に変わり続けているのです。ある人はそれを「無限の曲線」と形容しました。

曲線系の作品も、「アルテピアッツァ美唄」には数多くあります。生き物めいた感じが見る人を惹き付けるのでしょう。多くの人が、その表面をなでるのが印象的です。ここでは安全性を考えて、子供が高さのある作品にのぼるのは禁じていますが、丈の低い作品なら上に座ることもできます。イタリアの街中（まちなか）で開かれる芸術祭などに安田作品が展示されると、その上に寝そべる子供もいるそうです。

安田侃『意心帰』 2006年　東京ミッドタウン
写真：作家提供

『意心帰』のひとつが、東京の真ん中、六本木の複合施設・東京ミッドタウンにも置かれています。あまりにも自然な佇(たたず)まいなので、気づかない人はそのまま通り過ぎてしまうかもしれません。しかし、近所の子供たちがそこに寄りかかって休む姿も見られます。どこにあっても、まるでその場の一部のように感じられること。それが安田作品の大いなる魅力です。

イサム・ノグチに学んだ調和の思想

「水の広場」や東京ミッドタウンの作例で明らかなように、公共性は安田作品の重要なキーワードです。彼はかなり若い頃から、芸術による社会への貢献を意識していました。

彫刻家を目指した時点ですでにその気持ちはあったのでしょうが、イタリアに渡ったことで、より明確な意志になったと思われます。イタリアの彫刻は、置かれるのが野外であれ室内であれ、ただの装飾ではなく、その場所の象徴として利用されることが多いからです。広場には必ずといっていいほど彫刻があります。それを見てきた安田にとって、屋外である程度の広さのある場所であれば、彫刻が置かれるのが当たり前なのです。

また彫刻家として大いなる先達であるイサム・ノグチの影響も大きかったようです。1973年、イタリア留学中の安田は、石材を求めて同国に来たイサム・ノグチと出会いました。その際、東洋と西洋の間を行き来するイサム・ノグチの考え方に大いに感化されたことでしょう。さらに安田のイタリアでの仕事を手伝っているジョルジョという大理石職人は、実はイサム・ノグチの助手をしたこともある人物でした。彼を通して間接的にも、イサム・ノグチの芸術に向ける厳しさを知ったのではないかと思われます。

イサム・ノグチも安田を認めていました。出会いからおよそ10年後、優れた作品を発表し続ける安田に、イサム・ノグチがメッセージを寄せています。《安田が明確な意志を持って作品を造っているのは疑いないが、幸せなことに、その作品は芸術作品を作ろうという気負いを感じさせることなく自然に創り出されている》(『安田侃の芸術広場 アルテピアッツァ美唄』北海道新聞社刊)。

さらに安田は、イサム・ノグチが残した香川県牟礼(むれ)の庭園美術館に何度も足を運んでいます。私が安田と知り合ったのも、牟礼の関係者を介してでした。第10章のイサム・ノグチのところでも詳述していますが、住まい兼アトリエであったこの庭園美術館は、アートと人生と環境がひとつとなった境地を目指したものでした。

1990年代以降、安田の仕事は、公共の場に置かれる、いわゆる「パブリック・アート」が増えます。作品と場所との調和を考えるとき、イサム・ノグチの仕事が大いなるヒントを与えたことでしょう。明確な師弟関係ではありませんが、イサム・ノグチの思想を安田が学び取ったのは間違いありません。

アートと〝場〟との幸福な関係

そうはいっても安田は、けっしてイサム・ノグチの模倣者(もほうしゃ)ではありません。ある意味では、まったく別の方向性を進んでいる作家です。

イサム・ノグチは、自分の作品と設置場所との関係性を、全て自身でコントロールしようとしていました。それは丘の雑草の生え方を指示するほどに、潔癖なものでした。

それに対して安田は、その場が本来もっている趣や場の力を活(い)かそうとします。最終的に作品と場所とのハーモニーをつくり上げるという点では、両者は似ていますが、それに至る過程は性質の異なるものです。

余談になりますが、今日、現代アートを用いた公共物が多数ある中、置かれる場との調和を考え抜いたものは必ずしも多いとはいえません。遠くから見つめたほうがよい作品を狭い場所に置いたり、逆に閉ざされた空間で引き立つ作品をだだっ広い空間にぽつんと置いたりしています。それではアートと場所との幸福な関係は生まれません。時にはアート作品が、ただの障害物や風景の邪魔に見えてしまうことでしょう。

安田の作品は、それがまずありません。彼の彫刻が置かれることで、その場の景観はより心地よいものに引き立てられます。人工的なビルの中に置かれれば、その建物の役割をもの静かに語るモニュメントになり、同時にそこを利用する人の心のよりどころとしても機能します。だから彼の作品を見た人はみな、幸せな気持ちになるのです。

四季折々の光に染まる大理石

「アルテピアッツァ美唄」の場合、最初は、安田の故郷の町に廃校の体育館があるのでアトリエとして使ってはどうか、という打診があったそうです。

その場に足を運んでみると、旧校舎の一部はすでに幼稚園として再利用されており、子供たちが雑草とやぶに覆われた建物に通っていました。それを見て、安田は決心します。「この場を、子供たちが心を広げられる芸術広場にしよう」と。

その思いを美唄市に告げ、長い年月をかけた再生プロジェクトが始まりました。

安田侃彫刻美術館アルテピアッツァ美唄−ギャラリー／彫刻：安田侃

まず体育館がアートスペースとして整備され、屋外にも彫刻が置かれました。続いて「水の広場」がつくられ、さらに旧校舎にもギャラリーを開設しています。「アルテピアッツァ美唄」で、その顔ともいえる「水の広場」以外に、安田作品と場との調和を堪能できる場所を挙げるとすれば、木造校舎の2階部分のギャラリーでしょうか。そこには、これまでの安田の代表作の数々が展示されています。木造の校舎に似合う、小ぶりの作品が中心で、あるいは世界各地に点在するパブリック・アートの原形となった作品もあるかもしれません。

校舎の窓を通して、四季折々の光が作品に当たります。白い大理石に西陽が当たり、オレンジ色に染まっているのを見ると、いやが上にもノスタルジーを掻き立てられます。

西洋では、大理石彫刻といえば、永続性や不滅性を象徴するものでした。ところが安田の故郷にもってきた大理石彫刻は、どこか時の移ろいのままに変わりゆく風情を内包しているように見えます。無常観といえば、少し真面目(まじめ)すぎるかもしれませんが、大理石に「もののあわれ」が感じ取れるのです。

東洋と西洋の文化が、非常に高い水準で調和した世界が、そこには広がっています。

※「安田侃彫刻美術館アルテピアッツァ美唄」にあった幼稚園は2020年に閉園となりました。

安田 侃

Kan Yasuda

(1945–)

北海道美唄市生まれ。

東京藝術大学大学院彫刻科修了。1970年、イタリア政府の招聘で留学生としてイタリアに渡り、ローマ・アカデミア美術学校に学ぶ。1973年、北イタリア・フィレンツェ郊外のピエトラサンタにアトリエを構え、大理石とブロンズによる彫刻作品を創作。1992年、生まれ故郷・美唄市で小学校跡地の再生を手がけた野外彫刻公園「アルテピアッツァ美唄」（現「安田侃彫刻美術館アルテピアッツァ美唄」）がオープン。

安田侃彫刻美術館アルテピアッツァ美唄

◆所在地　北海道 美唄市 落合町 栄町
TEL 0126-63-3137

◆開館時間 9:00～17:00

◆休館日　火曜日、祝日の翌日
(日曜日は除く)、年末年始

◆入館料　無料（任意で寄附を受け付けています）

◆アクセス JR函館本線・美唄駅より市民バス東線で「アルテピアッツァ美唄」下車／新千歳空港からはJR快速エアポート→スーパーカムイで美唄駅着後、市民バス

◎営業時間・入館方法等が変更になる場合があります。お出かけ前に各施設のWebサイト等で最新情報をご確認ください（上のQRコードから各施設のサイトに入れます）。

Art

2

本物以上の魅力をもつ巨大人体像

ロン・ミュエク Ron Mueck

『スタンディング・ウーマン』

●十和田市現代美術館／青森県・十和田市

目に見える世界の向こう側

美術とは何を扱っているものなのでしょう？

音楽との比較で考えてみましょう。音楽が耳で聴くものだとすると、美術は目で見るものです。視覚に訴えかける芸術です。ということは、美術は〝目に見える世界〟を扱っているということになります。

では、私たちは、目に見えるものをどのように捉えているのでしょうか？

まずは色や形でしょう。どんな色か、あるいはどんな形か、そして次に男性とか女性とか、その人が手を上げて笑いかけているとかの事実を見ていくという具合に、段階を追って様々な視覚情報を積み上げ、ある〝イメージ〟として捕まえています。イメージによって対象を捉えている、という点が大事なところです。

これから紹介する作品は、ロン・ミュエクという現代アーティストがつくった『スタンディング・ウーマン』という作品です。4メートル近くもある大きな彫刻で、とにかく驚くほどにスーパーリアルに細部ができあがった人体像なのです。

リアルといってもただ本物そっくりというだけではなくて（それだけでも凄いのですが）、それ以上の魅力をもっています。

それはリアル（目に見える）の世界を徹底した先に現れる空想世界でもあります。

それでは、美術館へと足を向けてみましょう。

おもちゃ箱をひっくり返したような美術館

彫刻があるのは、十和田市現代美術館。2008年に青森県十和田市の官庁街通りに開館しました。碁盤の目状に整然と区画された街の中でも、ひときわ美しい通りに面しています。今の時代の美術館らしく、市民が気軽に立ち寄れる憩いの場所としても構想され、公園のような気軽さをもった美術館です。

金沢21世紀美術館や、直島（なおしま）、豊島（てしま）といった瀬戸内海にあるアートサイトなど、2000年以降につくられた現代アート施設と同様、人が集うことができる広場的な役割をもっています。かつてのような緊張を強いられる美術館ではなくて、むしろ気分を解放する場所です。

複数の白い箱のギャラリーが、おもちゃ箱をひっくり返したような自由な配列で通り沿いに並んでいて、庭とギャラリーに美術作品が置かれています。

ひとつの作品がひとつのギャラリーを専有する贅沢（ぜいたく）な展示です。観客は気分に合わせてギャラリーを巡っていけばいいのです。白い箱のギャラリーの並びもまちまちならば、大きさもまちまちで、それに合わせて個性的な芸術作品があります。

ギャラリーの通りに面した壁面はガラス張りになっているので、外とつながったような開放感があり、室内にいても窓から風景が見え、自然光が差し込んできます。きっと季節ごとに十和田のきれいな景色が映るのでしょう。

散歩に疲れたら、通りに面した気持ちのよいカフェで休憩できます。このカフェも作品です。カフェの床全体に台湾のアーティスト、マイケル・リンの絵が描かれています。カラフルな色使いのパターンが特徴です。

この場所には、ひときわ大きな窓があり、外に広がる街の風景とデザインが相まって、美しい空間をつくり上げています。金沢21世紀美術館にもマイケル・リンの壁画のタイプの作品がありますが、それと比較してみるのも面白いでしょう。

同様に、建築も金沢21世紀美術館との比較で捉えることができます。

この建築を設計したのは、西沢立衛（りゅうえ）という建築家で、本書でも金沢21世紀美術館（P121）、豊島美術館（P157）で登場します。金沢では、SANAAという建築家ユニットで、妹島和世（せじまかずよ）と共同設計しています。また、豊島では、内藤礼というアーティストと共同で美術館をつくっている才能豊かな建築家です。

十和田市現代美術館の建物のデザインは、金沢21世紀美術館の丸い外観を取り去って、独立した箱型ギャラリーを自由に広場に配列したような感じですから、建築デザインの関連でいえば共通したところも多く、金沢21世紀美術館とは兄弟のようなものです。

それに、十和田市現代美術館が開館した2008年に、ロン・ミュエクの個展を金沢21世紀美術館で開催している、というつながりもあります。

皮膚のたるみや皺まで再現

『スタンディング・ウーマン』は、黒い服を着て、でっぷりと腰回りのある、年の頃は60歳代の白人女性の彫刻です。肩はなで肩でそれほど筋肉がついた体つきではありませんが、背筋はぴんと伸びて足下はがっちりしたものです。

老け込んでいるといった感じはしません。まだ現役で働いている女性の活力があります。それでも、それなりに歳を重ねていて、髪の色はもともと薄いグレーだったかもしれませんが、白髪が混じり始めています。でも丁寧に髪を束ねています。

顔にはシミが浮かんでいて、顎は二重顎、皮膚は歳相応に弛んできています。眉間に深い縦皺があり、高く幅のある立派な鼻とくっきりとした眼が、頑固な印象を与えます。

服は質素な黒いワンピースで、ネックレスやピアスの類は見当たりません。足下は黒っぽい靴下に、先の丸い黒い革のローヒールの靴を履いた、実用本位の姿です。化粧らしい化粧はしていませんが、こざっぱりとした姿をしていて、何か普段から人と接している仕事をしているのかもしれません。

いろいろ想像をたくましくしているうちに思いついたのは、ハウスキーパーです。イギリスの大きな家庭にいる実直な老家政婦の姿。

しかし大きい。4メートルに近い大きさなのです。目の前にそびえ立っているという感じです。どうも現実感がありません。

このとんでもなく大きいという点を除けば、全ては見ての通りで、初老の女性を忠実に写したように見えます。いや、それでは言い足りないかもしれません。目を疑うばかりにリアルです。全てが再現されているといったほうがいいかもしれません。

髪の毛は一本一本生えているし、まつげもあり、眼の奥の瞳には瞳孔(どうこう)も見えます。肌は毛細血管の赤みさえ表現されています。人の皮膚そのものです。

先ほど、この作品を細かく皆さんに伝えることができたのも、どこまでも見入ってしまう細部があるからです。ミュエクは、これまで彫刻が省略してきたものを再現します。髪の毛、まつげ、皮膚、たるみや皺一本まで。

ロン・ミュエク『スタンディング・ウーマン』 2008年
十和田市現代美術館蔵　撮影：小山田邦哉
Courtesy Anthony d'Offay, London

譬えると高解像度のハイビジョン映像を見ているときのようなディテール感で、目の前の彫刻があります。もし、その4倍、16倍の解像度をもつ4K、8Kの高解像度のモニターを見たことがある人ならば、解像度が上がったときの映像とはどのような印象を人にもたらすものなのかを理解できるでしょう。画像が目に飛び込んでくる。見るのではなく、細部が飛び込んでくる、あの鮮烈な印象です。二次元映像なのに立体的に見えるのです。

普段は意識されることのないディテールがこと細かに再現されてしまい、通常見ているものとの隔たりが大きすぎて、実在感がむしろ失せてしまいます。

ファンタジー映画に使われる特殊造形の技術

こういった手法は、これまでまったくなかったわけではありません。主にアメリカの絵画や彫刻の中に、スーパーリアリズム、ハイパーリアリズムと呼ばれる芸術作品があり、皺一本まで克明に描写する絵画、彫刻で、1970年頃に生まれました。

これらの特徴は、まるで写真で撮ったかのように、あるいは人体から型取りしたかのように、克明にディテールが再現されているところです。

実際に、制作には解像度の高い写真を利用しましたし、彫刻では人体から直接型をとって、対象を克明に再現しました。このときには高画質写真の技術やシリコンなどの新しい材料の発展が再現能力を高めるのに役立っています。

私たちは、しばしば技術的な発展によって、リアルさのレベルが高まっていくのを知っています。特に19世紀以降、絵画、写真、動画、カラー化、そしてIT化などの技術革新によって再現レベルが上がり、より多様で高精細なイメージを手に入れてきています。

ミュエクの使う技法は、これまでの彫刻技法にはなかったものです。石彫、金属彫刻、木彫といった伝統的な技法とはまったく異なっています。

芸術作品としての彫刻とは、伝統的には単一の素材を加工したものをいい、細部よりも全体の量塊感（りょうかい）、ボリューム感を大事にします。それが彫刻的な存在感を生み出し、美しさをつくり出すと信じられてきたからです。

一方、ミュエクは、映画、CM、テレビ、エンターテイメント、遊園地などで使われる特殊映像のための特殊造形という分野で、マネキン人形、キャラクター人形、フィギュア、ジオラマなどをつくるために発達した技術を使います。

この分野では、材料も伝統的な彫刻とはまったく異なり、シリコン、ファイバーグラス、アクリル絵の具、馬の毛など、つくるものにリアリティをもたせるためであれば何でも使うといった具合です。ファンタジー映画に登場する怪物が、見た傍からつくり物だとわかってしまっては映画が台無しになってしまうからです。

こういう特殊造形の技術は、「スター・ウォーズ」をはじめ、1970年代後半から始まるSFやファンタジーなどのハリウッド映画の発展によってどんどん進化していきました。ミュエクは1970年代末より映画、テレビのための特殊造形の仕事をしてこの技術を学んでいきます。

ミュエクはオーストラリア生まれですが、当時オーストラリアは特殊造形物の製造では世界トップレベルの水準を誇っており、世界的に高いシェアを獲得していました。ところがその後、CG（コンピュータ・グラフィックス）技術が飛躍的に発展し、映画、テレビの世界では、手づくりの造形はCGに取って代わられ、技術者たちは新しい道を探していきます。

映画用の人形から完璧な彫刻へ

ミュエクは、1958年にオーストラリアのメルボルンに生まれ、1970年末頃からおよそ20年、オーストラリア、アメリカ、イギリスで映画やテレビ番組の模型づくりに携わっていました。80年代には実際に、児童向けのテレビや映画のためのモデルやパペット人形を制作していました。

1986年には、ジョージ・ルーカス総指揮のアメリカ映画「ラビリンス／魔王の迷宮」にパペット制作で全面的に関わっています。ジェニファー・コネリー演じる主人公サラとデビッド・ボウイ演じる魔王以外は、全てパペットが出演する特殊な映画です。多感で空想好きの少女サラの冒険物語の中で、ミュエクはルドという毛むくじゃらの大きな怪物の声優としても登場しています。

この映画にミュエクはパペット制作者として関わっているのですが、それに留まらず、ファンタジーとの関連が指摘できるミュエクの作品世界とこうした映画の仕事は、やはりどこかで関係しているように思えます。

その後、1990年には、自分で会社をもち、精密に動く映画用の人形であるアニマトロニクスを制作したりしましたが、それに飽きたらず、やがて、どこから見ても完璧な彫刻をつくりたいと芸術の道へ入っていきます。

アーティストとしてのデビューは、1996年のロンドン、ヘイワード・ギャラリーでの展覧会に『ピノキオ』と題した少年像を出品し、それが広告業界の大物で現代アートのコレクターであるチャールズ・サーチ氏の目に留まったことがきっかけでした。

実質的なデビュー作となったのは、亡くなった父親の裸の像でした。『デッド・ダッド』と題したシリコン製の彫刻で、父親の死体を3分の2のスケールに縮小した、ぞっとするほどリアルなものです。

ちなみに、この作品には仕上げ用の頭髪にミュエク自身の本物の髪の毛を使っています。その後自分の髪の毛を使うことはありませんでしたが、馬の毛など他の素材を使って、相変わらず恐ろしいほど真に迫る細部を生み出しています。

このスーパーリアルな『デッド・ダッド』は、自身の記憶と想像を元にして制作されました。ミュエクは死の床にある父親を実際に見たわけではないのです。様々な記憶を呼び覚まし、父の像をつくり出しています。

この形態に対する特殊な記憶力、それに造形力が、ミュエクの並々ならぬ天才性を証明しています。

一体の人間像を生み出すプロセス

芸術の革新はひとりの天才によって起こりますが、ミュエクを見ていると、産業技術をアートの技術へと転用し、進化させていく様子がわかります。ミュエクにかかると、映画、テレビ用の特殊造形技法もアートになるのです。

制作方法をもう少し丁寧に説明しましょう。

ミュエクが特殊造形技法を使うからといって、はじめからまったくこれまでと違うやり方をしているわけではありません。案外、基本に沿った制作手順なのです。

ミュエクは、作品をつくるときは、つくりたい人物やポーズを決めるために、スケッチ、ドローイング、マケット（模型）の制作から始めます。そのための源泉となるのは「写真、日々の生活で見る場面、記憶、特定のポーズ」だとミュエクは語っています。部屋には、美術カタログ、写真集、解剖図、新聞、雑誌、スナップショット、顔、眼、手、首、関節といった身体的な部位のイメージが収集されています。

ぼんやりした印象を小さなスケッチに起こし、ポーズを見つけていきます。何枚も描きます。そしてそれを三次元で確認するために小さなマケットをつくります。これは粘土による塑像（そぞう）です。

この時点でできるスケッチやマケットは簡素なものですが、創造的な「何か」をつかむためには大切な時間です。特にポーズを決めるための大事なプロセスのようです。

次に、より正確なイメージをつかむためのマケットをつくります。ここではポーズも引き続き検討しますが、詳細な表情を決めるのに時間を費やすようです。

これも粘土を付けたり取ったりを繰り返して形を探していきます。この時点でかなり具体的なイメージが生まれてきます。

ここまでの作業は、まさに近代彫刻のロダンなどが行なった塑像制作と同様のプロセスを辿っています。

ここで大事なのは、ミュエクが、単純に写真からイメージを引用したり、モデルをスケッチしたものをそのまま使っているわけではないというところです。具象的な作品だからといって、特定の対象があるわけではなく、誰かをそっくり写し取っているといった単純な再現描写ではないのです。そうではなくて、ある具体的な人間像をゼロからつくり出しているのです。それは、ある抽象的なイメージなり、感覚や感情なりを伝えるためです。

だから正確にいえば、先に紹介した、スーパーリアリズムやハイパーリアリズムで描かれる超写実的な再現描写とはまったく異なった創造プロセスによってできあがっているし、目的も違うのです。あまりにも高度な再現能力から、それが機械的な描写のプロセスを経て実現しているように見えるのですが、実際は、古典的な彫刻家と同様で、手と眼の鍛錬によって習得した技術力とイメージ力をもって、優れた形が生み出されているのです。

長い時間を習作に費やし、いよいよ作品のための実寸大の原型を粘土でつくります。

ここでも長い時間を使い、大きさ、ポーズ、表情などについて彼の答えを探していくのです。ミュエクにとって粘土を使っての制作時間は楽しいようで、「粘土が唯一の楽しい素材」と語っています。

原型ができたら、シリコンとファイバーグラスで鋳型をつくります。そして型の中にゲルコート、ポリエステル樹脂、シリコンやファイバーグラスなどの化学薬品を注入し、それを型から抜き出し、そして彩色や植毛などの表面の仕上げを行ない、最終的な調整を行なっていきます。彼は、薬品を使うこの作業は苦しいといっています。

こうやって一体の人間像が生まれるのです。

ミュエクの技法は、他の彫刻家同様、まず粘土をこねて造形し、そしてその粘土作品を型にして、グラスファイバーを混ぜた特製のシリコンを流し込み固めるというものので、伝統的なモデリングに特殊造形の技術を加えたものですが、これまでこんな方法で彫刻をつくった者はなく、彫刻の世界に革命を起こしたともいわれています。

しかし、それが芸術になるのは、強烈なイメージを生み出していくミュエクの恵まれた眼と造形力があるからで、それも日頃の鍛錬の賜物なのです。

ミュエクの人体彫刻は注目を集め、先に紹介した『デッド・ダッド』のセンセーショナルな評価へとつながっていきました。アーティストへと転身してからわずか数点目の作品でした。

1990年代半ばのミュエクの出現は、それほど目新しいものだったのです。

リアルでありながら、隠喩的で心理的

ロンドンの現代アート史を飾る展覧会のひとつに「センセーション」展というものがあります。音楽では、ロックやパンク・ロックなどのポップ・カルチャーを生み出したロンドンは、アートでも過激な表現で世間を驚かせます。それは最も新しい美術動向を紹介した展覧会でした。

今では巨匠の仲間入りをしているダミアン・ハースト、ジェイク&ディノス・チャップマンなどと一緒にロン・ミュエクも参加し、『デッド・ダッド』を出品しました。ちょうどそのタイミングで私もロンドンに滞在していたので、この刺激的な展覧会を見たことを覚えています。無邪気な空想世界と過酷な現実のイメージ、曖昧になる日常と非日常の境界など、これまでの人間や社会のイメージでは捉えきれないエキセントリックな世界がそこでは表現されていました。

ミュエクの作品には、人の一生のうちの重要な出来事を扱ったものが目につきます。特に「誕生」と「死」について何らかの関わりのある作品が多いのです。「眠り」と

いう、ある意味では死との関連性を思わせる主題を含めると、その数はぐっと増えます。

『赤ん坊』『母と子』『妊婦』『ガール』『包まれた赤ん坊』『椅子の上の赤ん坊』と誕生を物語る作品たちがある一方、『マスクII』『寄り添う恋人たち』『毛布の中の男』『ベッドの中の老婆』『デッド・ダッド』は、死あるいは眠りをテーマにした作品群です。また、裸体の作品も多く、特定の誰かの日常や生活の場面を描いたというよりも、もう少し広い意味で「人間」というものを対象にしています。

それぞれ個性的な顔付きや体型、またポーズをとっているのですが、象徴的な意味のほうが強く、それぞれのキャラクターはある感情や心理を反映したものです。愛、嫌悪、喜び、悲しみ、恐れ、憂鬱（ゆううつ）、空虚など、様々な感情が、あの表情やポーズ、そして像の大きさを介して表現されています。

『ガール』という作品は、5メートルの巨大な生まれたての赤ん坊ですが、それはまだへその緒も血液混じりの体液も付着したままの不安定な存在です。そこには生まれてきた者への驚きと喜び、そして不安や恐れが同時に反映されています。

ミュエクの作品はリアルですが、一方で、複雑で、隠喩（いんゆ）的で、心理的でもあります。それは、あたかもある物語の一場面でもあるかのようなイメージの背景をもっているからです。

私たちは、ミュエクの作品を、再現された誰かの似姿として見るのではなく、象徴され、表現された、心理的なイメージとして見るのです。ミュエクの作品を見ることは、人間の皺、体毛、毛穴、血色、肉や脂肪の重みを見ることであるのと同時に、何かもっと漠然とした形にならないものを見ることでもあります。

彫刻に隠された寓意

さて、もう一度『スタンディング・ウーマン』のあるギャラリーに戻りましょう。まるでこの美術館を任されている老家政婦のように立っています。それにしてもなぜ体の大きな老家政婦なのでしょう。表象が意味するものを読み込んでみましょう。

時にその家に慣れ親しんだ老家政婦は、誰よりも家族のことを知っている存在です。長年肉親のように接し、その家の娘や息子の世話をしてきたのです。彼らにとっては、実の父母よりも、社会との接点を象徴する存在かもしれません。子供が大人へと成長する過程で苦労するのは、社会的なルールを身に付けることです。時にいうことを聞かない子供は、しつけを通じてそれを学んでいきます。両親を代理して子供をしつけてきた老家政婦は、やがて社会の規範を表象した存在としてイメージされるようになるかもしれません。

子供たちにとって、内面化し、キャラクター化してしまった『スタンディング・ウーマン』は、しつけに代表される道徳や倫理などの社会規範が象徴化してしまった姿ではないかと思うのです。

私はこんなふうに解釈しましたが、一見したところ何の主題もないように見える作品が、実は目に映る以上の意味を担っていることがあるのです。

確かに、見えるだけのものを写し取った「写生画」も存在します。しかし、優れた作品というものは多くの場合、多様な意味を含んでいるものなのです。

ミュエクが力を注いだ映画「ラビリンス／魔王の迷宮」は成長期の子供の見る物語でした。同じようなファンタジー映画に「ネバーエンディング・ストーリー」「ハリー・ポッター」「ホビット」「ナルニア国物語」などがあります。勝ち気なお姫様、荒くれ者、気弱な妖怪、すねた怪物など、象徴的なキャラクターが溢れています。

そういう空想世界に向けられていたミュエクの眼差しが、彫刻制作によって人間の「誕生」や「死」というシリアスな主題と関わり、深い人間表現へと向かいました。

そして、単なるファンタジーを超えた寓意性（ぐういせい）に富んだ表現を獲得し、新たな彫刻を生み出したのです。

ロン・ミュエク

Ron Mueck

(1958–)

オーストラリア・メルボルン生まれ。
1970年代末頃から映画やテレビ番組の模型づくりに携わり、1986年、映画「ラビリンス／魔王の迷宮」のパペット制作を手がける。1996年、アーティストに転身。同年に制作され、翌97年にロンドンの「センセーション」展に出品されたシリコン製の彫刻作品『デッド・ダッド』で一躍脚光を浴びる。リアルな表現と違和感のあるサイズで独特の世界を創出。

十和田市現代美術館

◆所在地　青森県 十和田市 西二番町10-9
TEL 0176-20-1127

◆開館時間　9:00 ～ 17:00（入館は16:30まで）

◆休館日　月曜日（月曜が祝日の場合は翌日）

◆入館料　1,800円（企画展閉場時1,000円）
高校生以下は無料

◆アクセス　東北新幹線・七戸十和田駅より十和田観光電鉄バスで「十和田市現代美術館」下車すぐ

◎営業時間・入館方法等が変更になる場合があります。お出かけ前に各施設のWebサイト等で最新情報をご確認ください（上のQRコードから各施設のサイトに入れます）。

Art 3

最高の抽象絵画がつくり出す〝心安まる空間〟

マーク・ロスコ Mark Rothko

『シーグラム壁画』

●DIC川村記念美術館／千葉県・佐倉市

アメリカが生んだ抽象絵画の頂点

現代アートの愛好者の中にも、「抽象絵画の見方が実はよくわからない」という方が、ときどきいらっしゃいます。絵の具の飛び散った跡や、不定形の色面で埋め尽くされたカンヴァスを見ると、とりつくしまがなく感じられるようです。真面目な人ほど、「絵の意味は？」と考えてしまい、理解できないことに不安を覚えるのかもしれません。

そういう方には、私はいつも、「はじめはわからなくても、ご心配いりません」と答えています。逆説的な言い方になりますが、20世紀後半以降に描かれた抽象絵画のほとんどは、見る人の「理解」を求めていないからです。

では、抽象絵画の目的は何でしょうか。

それは「体験」です。現代の抽象絵画の多くは、その作品が提示する空間を「体験」することを目的に制作されています。

それゆえ作品は、人間のもつ根源的な感覚に訴えかけてきます。というと難しくなりますが、要は、陽射しを浴びたり、そよ風を受けたりするのが気持ちよいと感じるように、その作品がもたらす空気感に身をゆだねてほしい、ということです。人が光や風を受けて快感を覚えるのに、理屈はありません。それと同様に、抽象絵画の鑑賞に「理解」は不要なのです。

とりわけマーク・ロスコは、絵画によって心安まる空間をつくることに努めました。彼の活動は、今日のアートに大きな影響を与えています。本書で紹介するウォルター・デ・マリアや、ジェームズ・タレルといった、ロスコより一、二世代後のアーティストたちにとっても彼は大きな存在でした。戦後、世界の現代アートを牽引していったアーティストたちにとって、マーク・ロスコらアメリカの抽象画家がもたらした芸術上の成果は、それまでの美術の歴史から大きく意味を分かつものだったのです。

幸い私たちは日本にいながらにして、「アメリカが生んだ抽象絵画の頂点」と評される、ロスコの最高傑作を鑑賞することができます。千葉県佐倉市のＤＩＣ川村記念美術館が所蔵し、常時展示している『シーグラム壁画』という大作です。

まずは美術館まで足を延ばし、その絵画を「体験」してみることにしましょう。

ロスコのための専用の部屋

『シーグラム壁画』は全30点からなるシリーズで、このうち7点がＤＩＣ川村記念美術館にあります（残りの23点の行方については、後で述べます）。

7点全てが、たいへん大きな画面に描かれています。高さは1・7〜2・6メートルほど、幅も最大で4・5メートルほどもあります。作品がこれほどまでに大きいのは、タイトルにもある通り、壁画となるべくして制作されたからです。

美術館では、この作品を鑑賞するための専用の部屋を設けています。これはロスコの作品を解釈し、制作意図を反映してのものです。

彼は自分の描いた絵が、他人の作品と並ぶのを嫌っていました。他人の創作物が自作の鑑賞の妨げになると考えていたからで、グループ展への参加も断っていたほどです。自分の絵だけでひとつの空間をつくり上げることが、彼の理想だったのです。

きっかけは、ワシントンDCのフィリップス・コレクションで、複数の自作の展示風景を見たことでした。

フィリップス家は鉄鋼業で財を成した家で、マネやルノワールら印象派から、アメリカの近・現代美術までを所有する一大コレクターでした。そのコレクションによってアメリカ最初の近代美術館が生まれたほどで、その中にもちろんロスコの作品も多数入っていました。それがひとつの部屋に並んだ様子を見て、ロスコは壁画への夢をもつようになりました。それぞれ個別に描かれた、時期もテーマも異なった絵が一堂に会したとき、一枚の絵を飛び越えて、空間にひとつの絵画的ハーモニーが生まれていたからです。

1958年春、50代半ばのロスコは、ニューヨークのマンハッタンに新しく建設されたシーグラム・ビル内の高級レストラン「フォー・シーズンズ」の装飾を依頼されます。

壁画の夢を実現させる機会が巡ってきたのです。

シーグラム・ビルの設計は、ミース・ファン・デル・ローエ、レストランの内部は、フィリップ・ジョンソンが担当しました。2人とも現代建築史に名を残す大巨匠です。ロスコを含め、いかにこのプロジェクトが力の入ったものであったかがわかります。ちなみに、現在シーグラム・ビルは「アメリカ合衆国国家歴史登録財」に指定されています。

ロスコの壁画が構想された部屋はレストランの特別室で、ちょうどロスコの絵を7、8点飾ることができる大きさでした。部屋のサイズは、17×8・2メートルです。

レストランの壁面は、フランス産のクルミ材の木製で、床面から120センチの高さで絵を展示する計画だったようですから、それぐらいの背丈のテーブルが入る予定だったのでしょう。フィリップ・ジョンソンが考えていたのは案外装飾的な空間だったようで、随所にそういった要素があります。

実際のところ、ロスコが展示を予定していたレストランの一室は、入口側の壁面には観音開きの扉がいくつもあって、壁画を展示できるようなスペースはありません。また、側面の壁は狭いうえに、片方にはガラス窓があります。したがって、まともに壁画を展示できるのは、残り一面の壁だけのように見えます。

現在、壁面は革張りになっており、何ということもない平凡な絵が展示されていたりして、当時を想像することができません。

ロスコの構想を聞くと「四方の絵に包み込まれるような空間」を想像しますが、果たしてロスコが当時想定したスペースは本当にここだったのか、もしそうならば、ロスコは設計の仕様をどこまで把握していたのか、と疑ってしまいます。

結局、作品がレストランを飾ることはありませんでしたが、もともとはレストランの壁を絵画によって埋めるという構想のもとに、この大作は制作されたのです。

アートが生んだパワースポット

それぞれの絵が連なってひとつの世界を構成する壁画なので、どの絵も似たような雰囲気をもっています。赤土のような色を基調に、黒やオレンジ色を組み合わせて、輪郭のあやふやな、大きな長方形が1つか2つ、浮かび上がるように描かれています。

その長方形は、どこか別の場所に通じる窓か扉のようにも見えます。

それまでロスコの絵といえば、雲を思わせる形が登場することで有名でしたが、この窓型は初めての試みになりました。

ここで壁画の条件を考えると、一枚一枚の絵は横に連続して並べられていきます。できるだけ隙間を詰めていくとすると、ひたすら横に長い絵になります。そこで必要以上に横へと意識が向かないように、窓型の四角い形をあるリズムで入れ込んだのではないかと私は想像します。そうでないと壁画にしたときに絵にならないからです。結果、それが内部空間へと観客を誘う窓の役割を果たしていきます。

画面は大きいのですが、ぎらぎらしたところがまったくないので、絵の前に立つと、たいへん落ち着くのです。

それはおそらく、絵の表面が、つや消しのような、とても柔らかな感じがするからでしょう。マチエール（絵肌）は、ベルベットの絨緞（じゅうたん）を思わせる独特のものです。

画材には、顔料に油や卵や樹脂を混ぜた、かなり複雑なものを使用しています。ロスコは様々な画材を買い集め、それを自分でミックスしていました。キャンバスも市販のもの、手製のものと様々で、絵の具についても同様です。油絵の具がほとんどですが、ときおり化学樹脂も使っていますし、一方でテンペラ絵の具という油絵以前の古典的な材料も使用しています。

絵でいうと、四角の窓に当たるところに少し艶（つや）がありますが、そこが卵を使用するテンペラ技法で描かれた箇所です。画面の大半を占める赤茶の油分が少ないところは油絵の具、化学樹脂絵の具です。

ロスコは、絵の具の層を薄く何度も重ねて描いていったのですが、そのたびごとに違う材料のものを塗っていったようです。そうやって適度に光を吸収するような、独特の深みのある色調を生み出しています。

形がシンプルなだけに、色の選択はもちろんですが、それらがどのような質感をもって塗られるべきか、非常にこだわったようです。結果、色によって質感までもが微妙に異なった画面をつくり上げていきました。

残念ながら、のちの修復などでオリジナルの画面が全て残っているわけではないそうですが、幸運なことに、ＤＩＣ川村記念美術館の7点はいい状態ですから、ロスコの追求した色彩を直接見ることができます。

部屋は七角形にデザインされていて、照度を低くした落ち着いた空間で、7点のロスコ絵画のひとつひとつと対面できるように設計されています。設計者は建築家の根本浩さんです。当時、ＤＩＣ川村記念美術館のチーフキュレーターをしていた林寿美（すみ）

DIC川村記念美術館　マーク・ロスコ〈シーグラム壁画〉による一室。 撮影：渡邉修
展示室を入って右側（上）と、左側（下）。上の右端と下の左端の作品は同一。

さんは、ロスコの展示室のアイデアづくりに関わっていますが、彼女によると「ロスコ・チャペル」を意識しての設計だったようです。

ロスコ・チャペルは、ロスコが最後に行なった壁画制作で、ロスコの絵画による壁画空間を唯一体験できる礼拝堂です。ロスコは、シーグラム・ビルのレストラン、ハーバード大学のカフェテリア、ヒューストンのロスコ・チャペルと3つの壁画制作に取り組みましたが、ロスコ・チャペルは、ただひとつ完成し、残った場所です。

DIC川村記念美術館はこれに倣って、シーグラムのレストランよりもっと精神的な場所を目指し、まさに、ロスコの大きな絵画に取り囲まれる空間を実現しました。

私は、この部屋にいると、凝り固まっていた精神が解きほぐされるような、深いリラクゼーションを覚えます。中央に鑑賞のための長椅子が置いてあるのですが、それに座って画面を眺めていると、時が経つのを忘れてしまうようです。ロスコの作品は、人を瞑想に引き込む力があるといわれますが、まさにその通りで、私もいつしか忘我の境地に誘われています。そこは、まるで「アートが生んだパワースポット」のようです。

ロスコの作品のようなアメリカの抽象絵画は、第二次世界大戦後の1940年代後半から急速に発展しました。

戦争が終わり、価値観が揺れ動く激動の時代にあって、若きアーティストたちは、自分を取り巻く世界を描写するだけでは表現衝動を満たせないと思ったようです。そこで自分の内側にひそむ理念や衝動と向き合い、人や風景といった具体物の再現ではない、抽象的な絵画を追究しました。

美術的には、ヨーロッパで起こったシュールレアリズム（超現実主義）が直接、影響を与えています。シュールレアリズムは、精神分析学者フロイトの「無意識」の考え方に触発されて始まった芸術運動だということをご存じの方も多いでしょう。

絵画による心の平安を求めて

ちょうど戦争を避けて、ヨーロッパから、サルバドール・ダリやマックス・エルンストら、多くのシュールレアリストたちがアメリカに渡っていました。アメリカの若いアーティストたちは、このヨーロッパの巨匠たちから、直接考え方を学びました。シュールレアリズム芸術の特徴である「夢」や「偶然」といったものを使って、言葉にならない心の奥底の世界を探るようになり、自己を超えた無意識世界をダイレクトに画面に展開していくようになります。

カンヴァス全体に塗料をぶちまけたようなジャクソン・ポロック、画面全体を均一の色彩で塗り込んだバーネット・ニューマンといった画家が、高い評価を受け始めました。

彼らの作品は、「抽象表現主義」と呼ばれます。ロスコも、このムーブメントの中で頭角を現してきた画家です。

若い頃の絵は、夢で見たことをそのまま描写したような、幻想的な作風でした。自分の本当に描きたいものを見つめ、無駄な描写を少しずつ削ぎ落としていった結果、1940年代末、画面に曖昧な輪郭の四角形を描く独自のスタイルを獲得します。

それは激しさや厳格さとは無縁な、静かで穏やかな情趣を漂わせている絵画です。そしてより色彩に満ちた世界を追い求めるうちに、ロスコは、絵画を鑑賞するための「環境」を意識し始めます。作品をただ漫然と鑑賞するのではなく、絵画と向き合うことで心を落ち着かせ、自分の内面を見つめ、時には祈りにも似た情感を覚える場所をつくれないものかと考えました。

そんなおりに、『シーグラム壁画』の依頼が来たのですから、ロスコは大いに乗り気になったのです。閉鎖された体育館を借りて、レストランと同じ広さの空間をつくり、壁画の制作に没頭しました。そして、およそ1年半の年月を費やして、30点の連作を描いたのです。

食堂を絵画で飾ることは、西洋では古くから行なわれており、ルネサンス時代の作品がいくつも残っています。また19世紀末から20世紀初頭に装飾美術が盛んになったときにも、多くの画家が公共施設や大邸宅の食堂に掛けられる絵に挑みました。

ただ20世紀のロスコの作品は、それらの伝統的な壁画とは少し性質が異なっているように思います。近代までの壁画は、その場を飾り立て、楽しい食事を演出するものでした。しかしロスコは、絵画が空間に与える作用を真剣に考えていました。自分の作品をレストランに飾ることで、食事の時間が、その人の心の平安につながることを心底願ったに違いありません。

しかし、芸術を真摯に追究すればするほど、即物的、享楽的な要素が排除されていきます。その結果、次第にレストランとの関係すら難しいものになっていったのです。

飾られなかった壁画

こういったロスコの芸術上の使命感が芽生えていくのには、彼の個人的性格だけではなく、当時のアメリカ美術界の動向が影響しているように思えます。

それは、ハロルド・ローゼンバーグとクレメント・グリーンバーグによる芸術上の解釈の影響です。ハロルド・ローゼンバーグとクレメント・グリーンバーグは、戦後のアメリカ美術を世界的な地位に押し上げた美術評論家です。いまだに現代アメリカ美術を学ぶ上では、この2人の評論は必須です。

2人が推し進めたことは、簡単にいえば2つ。美術の「純粋化」と「自立化」。ちょっと難しくなってしまいましたが、「純粋化」とは、つまりひとつの美しい様式、形式で貫かれていること。いろいろな価値観が混在していないこと。そして、もうひとつの「自立化」とは、美術は美術のためにあるということ。美術は「美」の主人であって、他の従属的な存在ではないということです。例えば皿の装飾は純粋な美でなく、皿の従属物であり、美を応用したもの。純粋な美は、それ自体を追求する絵画や彫刻の中だけにある。デザインや工芸は応用美術という別のもの。なぜなら実用的な用途をもっていて、純粋な美のためにあるわけでないから、ということです。

この論理はより究極的に展開すると、具象的な描写の否定にまで進みます。なぜなら、それは実際にあるものの単なる説明であって、絵の創造性に関わるものではない、ということになるからです。

これはちょうど、純粋にそれ自体として成り立つ数学と、それを現実社会に応用する工学との違いのようなものと考えるといいと思います。

それにしてもこういう極端なまでの純粋主義というのは、案外アメリカ美術の一大特徴だったりするのです。ロスコもこういった考えのもとで作品を制作していました。いや、むしろこういう美の純粋性を、先頭に立って探求したアーティストだったのです。

しかし、そんな崇高な考えは、絵を飾る場所の日常的な猥雑(わいざつ)さによって、いっぺんに吹き飛んでしまいます。

壁画を納入する前にレストランがオープンしたので、彼は下見に行きます。そしてその場所が、自分の作品とはまったく相容(あいい)れない俗悪さに満ちているのを見て取り、契約を破棄したのでした。部屋のサイズは事前に知っていたのですが、インテリアについてまでは知らなかったのです。

受け取っていた前金を返したのと引き換えに、行き場を失った連作は、しばらく彼の手元に置かれていました。

30点の連作は、現在、大きく3か所に分かれています。ロスコの死の間際、9点の作品が、ロンドンのテイト・ギャラリー(現テイト・モダン)に寄贈されました。1990年には7点が、DIC川村記念美術館に収蔵されます。

以後、この2館では専用の部屋を設けて、常時公開しています。DIC川村記念美術館の現在の展示ルームは、2008年に増築した新しいスペースです。テイトのロスコ作品は、数年前、一枚にマジックで絵を描かれるといういたずらにあったため、しばらく非公開になっていましたが、今は展示が復活しています。

残りの作品は、主としてワシントン・ナショナル・ギャラリーが所蔵し、一部が個人蔵になっています。

なお、ロスコのアシスタントをしていた人物の証言によれば、壁画が予定通り完成していたら、ロスコはこの30点からいくつかを選び、改めて並べ方を決めるつもりであったらしいのです。ですから、3つのグループは、あくまでも便宜上のもので、創作の意図を反映するものではありません。結局どれを選ぼうとしていたかは不明です。

最もアメリカ的な画家

こういう逸話だけを見ると、ロスコは内に籠(こも)った性格で、どこか社会性に欠けているように見えるかもしれません。しかし彼の絵画を愛する人は多く、レストランでの展示がキャンセルになった後も、テキサス州ヒューストンの富豪で大コレクターであるデ・メニル家から、教会内の壁画の制作を依頼されます。これが前述した「ロスコ・チャペル」です。こちらはロスコを慕う人々の協力もあり、なんとか完成し、今も公開されています。

とにかく、ロスコの絵は、アメリカ人の心を惹き付けてやみません。「最もアメリカ的な画家」の称号を誰かに与えるとすれば、ロスコこそがふさわしいでしょう。

ロスコの作品は、抽象絵画ではありますが、そこに現れる色彩は、どこかアメリカの風土を感じさせるのです。もぎたての柑橘類(かんきつるい)のようなオレンジ、澄みきった空のような青、大地に沈む太陽のような赤。ロスコの筆から生み出される色彩は、どこをとってもアメリカの自然を映しているように見えます。そうしてみると、『シーグラム壁画』の赤茶色も、南部の土の色のようではないでしょうか。

もちろんどんな画家でも、土着の文化と無縁ではいられません。それでもロスコ作品の他を慈しむような色合いは、大地と空が生み出した色彩をじっと観察して得られたものだと、想像せずにはいられません。

また、巨大な画面もアメリカ人好みでした。ロスコに限らず、抽象表現主義の画家たち全般にいえることですが、どの作品もとても大きいものです。『シーグラム壁画』は、描かれた目的ゆえに特に大きいですが、その他のロスコ作品も2メートル四方くらいのサイズは珍しくありません。アメリカの文化は、伝統的に壮大なものを好んできました。

国土が広大なので地平線まで果てしなく続く風景がいたるところに見られるからと

も、競争社会ゆえに誰もが強大さを志向するから、ともいわれています。

いずれにせよ、そういうアメリカ人気質に、ロスコの表現はぴたりと合致したのです。

特に第二次世界大戦後のアメリカは、世界一の大国となり、ビジネス面で成功した新興の大富豪が次々と誕生しました。彼らが自分たちの躍進を象徴するものを欲したときに、そこにアメリカ独自のアートである、抽象表現主義の絵画があったのです。

ルネサンスや、バロック時代は、王侯貴族が美の庇護者(ひごしゃ)であったので、広大な屋敷や教会の壁を埋める大画面の絵画が当たり前のようにつくられていました。しかし、19世紀以降の市民社会では、絵の大きさも家族が暮らす部屋に飾れる程度の小振りなものに変わります。ところが再び、摩天楼(まてんろう)や壮大な邸宅が続々と建てられた20世紀のアメリカ社会において、巨大な絵画が復活したのです。

一作ずつの鑑賞は「予告編」

アメリカ人の好みを抜きにしても、人間の背丈を超える大きな画面がもたらす効果は絶大なものがあります。しかもロスコの本領はそこに留(とど)まりません。

私が初めてロスコの作品を「体験した」と実感できたのも、彼の作品に囲まれることができるロスコ・チャペルを訪ねたときでした。

それまでもロスコの絵はいくつか見ていましたが、一作ずつ見るというのは、映画でいえば予告編のようなものにすぎませんでした。ロスコ作品がつくり出す空間に浸ったときに、「あ、これが本物のロスコなんだ」と悟ったのです。

今では、DIC川村記念美術館のロスコ・ルームに行けば、誰もが日本にいながらにしてロスコが制作した「本編」を鑑賞できます。

ロスコの作品のみで成り立っている空間は、現在、『シーグラム壁画』を展示する2館（テイト・モダンとDIC川村記念美術館）とロスコ・チャペル以外には、前に述べたフィリップス・コレクション内のロスコ・ルームしかありません。

日本でこれだけのロスコ作品を堪能できるのは、現代アートにおける奇跡のひとつといっても過言ではないでしょう。

マーク・ロスコ

Mark Rothko

(1903–1970)

ロシア帝国領（当時）ラトビア生まれ。1913年、アメリカのポートランドに移住。ニューヨークで美術の世界を志す。1933年、初の個展をポートランド美術館で開催。初期の作風は、サルバドール・ダリらシュールレアリズムの画家の影響を色濃く受けた幻想的なものだった。1940年代末頃に独自のスタイルを確立、抽象表現主義を代表する作家として高い評価を得た。

DIC川村記念美術館

◆所在地　千葉県 佐倉市 坂戸631
TEL 050-5541-8600（ハローダイヤル）

◆開館時間 9:30 ～ 17:00（入館は16:30まで）

◆休館日　月曜日（月曜が祝日の場合は翌平日休館）、年末年始、展示替期間の臨時休館

◆入館料　展示内容によって変わります

◆アクセス JR佐倉駅（南口）
DIC川村記念美術館バス停、または京成本線・京成佐倉駅（南口）シロタカメラ前より無料送迎バス

◎営業時間・入館方法等が変更になる場合があります。お出かけ前に各施設のWebサイト等で最新情報をご確認ください。（上のQRコードから各施設のサイトに入れます）

名品鑑賞に学ぶ

各章から鑑賞ポイントをセレクト!!

現代アートを楽しむコツ❶

● 見て感じたものを「**言葉**」にしてみよう

「作品を解釈することは積極的な参加であり楽しいこと。〝鑑賞する〟というのは作品になにか新しい意味を付け加えること」

（はじめに）

● 素材との**ギャップ**を考えてみる

「石なのに柔らかい」

（ART 1　安田侃「アルテピアッツァ美唄」）

各章から鑑賞ポイントをセレクト!!

名品鑑賞に学ぶ 現代アートを楽しむコツ ②

隠れた意味も考えてみる

「優れた作品は多くの場合、多様な意味を含んでいます」

（ART2 ロン・ミュエク『スタンディング・ウーマン』）

理解するのではなく作品が提示する空間を「体験」する

「抽象画のほとんどは見る人の〝理解〟を求めていません。光や風を受けるのと同じように作品がもたらす空気感に身をゆだねましょう」

（ART3 マーク・ロスコ『シーグラム壁画』）

Art 4

ゴミを擬態化したアート

三島喜美代

Kimiyo Mishima

『Newspaper08』
『Work92-N』
『Work2000-Memory of Twentieth Century』

●アートファクトリー城南島／東京都・大田区

見渡すかぎりのゴミの山

東京湾に近い大田区城南島の倉庫街の一角。このあたりは埋立地らしい平坦な土地が続き、道路も碁盤の目のように整備されていて、ひっきりなしに大型トラックが行き来する、東京随一の物流地区です。そこに現代アーティストの三島喜美代の作品を展示する「アートファクトリー城南島」があります。

元は倉庫でしたが、アートギャラリーに改造したスペースです。といってもそれほど大幅には手を入れておらず、倉庫然としたまま使っていて、かえってそれが三島の大型の作品を引き立てています。ガランとした大部屋で、床はタイル貼り、長さ60メートル×幅15メートル×高さ10メートルの広さです。鉄の波板の壁は高く、天井からは荷運び用の大型クレーンが下がり、高さ3メートルほどのところに作業用の廊下がぐるりと回っています。

見渡すかぎりのゴミの山。すでに作品が展示されたギャラリーの中にいるのですが、これが三島の作品の前に立ったときの第一印象です。アート作品を見学に来たつもりが隣の倉庫に紛れ込んだのかと勘違いしそうになります。

「ゴミへの強迫観念」「人っぽいゴミ」「反骨精神」「ブラックユーモア（笑いと恐怖）」

「鋭い世相批判」「小さな体」「貪欲な制作欲」――。三島喜美代について、頭に浮かぶ言葉を思いつくまま書き記していたらこんなふうになりました。

1932年、大阪生まれ。小さな体にもかかわらず、あり余るパワーで陶製の巨大オブジェをつくり続けています。本人曰く「毎年体は小さくなりますが、やりたい仕事はいくらでもあります！」。重い土や陶製オブジェを今でも自分で移動しますが、かつてのように10キログラム、20キログラムを軽々と運ぶというわけにはいかなくなってきました。「それでも仕事は面白い」と、アシスタントとともに本物のゴミ以上のゴミをつくり続けています。

新聞紙の迷路

入口に立つと、目の前いっぱいまで新聞の古紙が迫ってきます。堆く積まれ、隙間なく置かれています。こっちに傾き、あっちに傾きしながらバランスを取って、高さは3メートルほど。ちょっとした地震でザザッと音を立てて崩れそうなぐらい不安定なのですが、どこかのリサイクル工場に出荷されるところなのか、それとも集められたばかりなのか、見渡すかぎりの新聞紙の束です。こういうものがほどほどにある分にはそれほど気になりませんが、ある量を超えてくると、どうにも気持ちが落ち着かなくなります。

「これが崩れてきたらどうしようか」「下敷きになったら到底ひとりでは抜け出すことができないだろうなあ」などといった妄想が頭をもたげて、ちょっと怖くなってきます。

不安定な新聞紙の壁は奥に続き、迷路のようになっていきます。入口から数メートル進んだでしょうか。右に曲がる道があり、それに従い、さらに進んでいきます。新聞の壁は高く両側に迫ってきます。入口からの明かりも届かなくなり、天井の裸電球だけが頼りです。手探りするほどの暗さではないにしろ、どこを見ても古びた新聞だらけの迷路を照らし出すには光量が足りずに、おっかなびっくりと奥へ行きます。すると道は二手に分かれています。方向を決めて前進しますが、その後もいくつか分岐があり、間違えれば行き止まり。たぶん3か所ぐらいの分岐があったように思いますが、ちょっと焦っていたので定かではありません。だんだん不安になってきたあたりで、ようやく出口の光が見えて終了、出られました。

この間、2、3分か、それとも5、6分か、短いようで長い奇妙な経験でした。出口が見えないというのは不安なもので、狭いところが苦手、暗いところが怖いという人には、冷や汗が出るような時間でしょう。逆にそういうところが最高に楽しいと思

三島喜美代『Newspaper 08』 1997-2008 年
アートファクトリー城南島　撮影：小川重雄

う人には、一種変わった遊園地のアトラクションのように思えるかもしれません。これが三島の作品『Newspaper08』です。後で聞いたら、あっちにぶつかりこっちにぶつかりした迷路は、10メートル×15メートルの中での出来事でした。

一見本物の新聞紙の束のように見えていたのは実はつくり物で、全てはフェイクの世界です。この作品の新聞束は、ポリエステル製です。軽く、かつリサイクルできるものがいいと考えたようです。そして、ペットボトルと同じ再生可能なポリエステルで制作しようと試みました。ただ、まったく同じものでは薄い型抜き成形ができなかったようで、少し異なったポリエステルを使っているそうです。結局「再生」というコンセプトは断念しましたが、何にしてもペットボトルと同様の素材ですから、とても軽いのです。あんなに重そうに見えた新聞紙の束が、実はなんとハリボテだったと聞くと複雑な気分になります。まったく騙されてしまいましたが、こういう人を喰ったところもまた三島の特徴です。

当初は暗い迷路の中でじっくり新聞を読むなどという気分にはなれず、まるで追われるように出口を探しましたが、ハリボテの軽いポリエステルと聞いた今であれば、記事の中身や新聞の種類など、作品の細部をいくらでも観察できるゆとりが生まれます。

日本語以外にも、英語、仏語、独語、それにハングル、アラビア、インドなどの文字も見えました。ずいぶんと数多くの種類の新聞を使用しています。何か世界の社会情勢といったあたりと関連するのでしょうか。それにどれくらいの期間の新聞を使用しているのか気になります。これについてはまた後で考えてみましょう。

伝統技術を活かした陶製新聞

新聞の迷路を抜けたら、次に目の前に現れたのが『Work92-N』という、こちらも古新聞が積み上げられた作品です。5メートル×4メートル×2・7メートルのひと塊（かたまり）。大きいには大きいですが、先ほどの迷路のように、自分が取り囲まれて、どこがどうなっているのかわからなくなるという不安がない分、少しは安心して見ることができます。

家庭でよく行なうように、いくらかの新聞を紐（ひも）でまとめ上げていて、その新聞束を、不安定になるのも構わず高くまで積んでいます。その横にはまた別の新聞の柱という具合に、新聞が寄せ集められて大きな立方体状にまとまっています。新聞の高さはまちまちで凸凹があり、どうにも締まらない立方体といったところです。

迷路型の作品と同様、古新聞をテーマに扱っていますが、こちらの新聞紙は焼物です。破れない、粘りのある、粗い土を使っています。

三島を一躍有名にしたのは、この陶磁の技法の現代アートへの応用でした。三島は陶芸の専門的な教育を受けたわけでも、陶芸作家というわけでもありませんが、土を使い、絵を描きます。現代アート作品を焼物でつくったところ、陶磁の技法の使い方があまりに独創的だったため、大いに評判になり、それ以後、工芸作家のような扱いを受けるようになりました（本人は気に入っていませんが）。この『Work92-N』は、そのタイプの代表作です。

1954年から絵画制作を始めた三島は、当初は抽象的な絵画を制作していました。新聞や雑誌などの印刷物を思いのままに画面に貼り付け（コラージュ）、それと対比するように絵の具をこれでもかと塗りたくる作風で、評価を受けていました。1971年頃から、それまでの新聞や雑誌をコラージュした平面絵画から、やがて記事の事件性に着目して転写する陶製の立体作品を制作し始めます。あり余るエネルギーは絵画には収まらず、より体力のいる陶製立体作品へと注ぎ込まれていったのです。

難しい陶芸技術を含め、とにかく全て独学。三島はこのときのことを「割れる印刷物をつくりたいと思った」と語っています。これは「焼物」のことですが、このあたりから注目を集め始め、数々の国際、国内展に出品していき、一躍有名になります。

三島喜美代『Work 92-N』
1990-92年　アートファクトリー城南島
撮影：小川重雄

三島喜美代『Work 92-N』（部分）
1990-92年　アートファクトリー城南島
撮影：小川重雄

三島の技法に対する考え方は、作品アイデアと同様に自由なものです。普通の作家はひとつの技法に精通し、それに拘り、作品をつくります。工芸作家は特にその傾向が強く、技法が作家の個性を表します。三島は、技術偏重の評価に頓着しません。いつまで経ってもアマチュア的メンタリティで制作しています。むしろアマチュア的な姿勢こそ、独創性とクリエイティビティには必要だと考えているのです。

陶土によるポップなオブジェづくりも、プロでは決して行なわないことを平気で行なった結果です。

だから制作は七転八倒しますが、その試行錯誤から「面白いもの」が生まれ、三島独特の「下手なような、うまいような」えもいわれぬ魅力的な作品が誕生してくるのです。

愛嬌と毒をもつ「もどき」作品

焼物は、やはり三島と相性が良いようで、このタイプの作品を数多くつくっています。特にいくつかの作品には粗い信楽の土を混ぜています。焼物に詳しい方は、焼物の土の中でもその扱いが最も面倒なのが信楽の土だというのをご存じでしょう。目が粗く、高温でないと焼けず、細かな絵付けには向かない土質です。新聞の文字や写真などの細かなところの再現には苦労したはずですが、三島によれば「簡単に割れない粘りがある土」で、そういうところが新聞づくりには向いていると判断し、そちらを優先したそうです。

実際、こういう粘りのある土でなければ、窯の中で破れていました。しかし、結果、目の粗い土から強引に焼き締めて制作した新聞の表現が、現代的なポップな表情をもちながら、一方で素朴な風情の残る土味を残すという不思議な雰囲気を醸し出しました。

型に粘土を詰めて形をつくり出し、その上に新聞の記事や写真を転写していきます。そして、一度の窯詰めで焼き上げます。

新聞紙はリアルに再現されていて、ぱっと見ると本物のようですが、ぽってりとした土の感触が残ります。その奇妙な違和感がこの作品の面白いところです。

例えば、今時のお笑い寄りの「モノマネ芸」には、一種独特のキッチュ（元は「まがいもの」「俗悪な」といった意味ですが、それから転じて、あえて「悪趣味」を装う新しい文化などに向けて使用する言葉）な感じがありますが、それに近いといったら、三島には心外な扱いかもしれませんが、そういうところがあるのです。

昆虫などでも「〇〇モドキ」といわれる、本物らしく擬態した種類がいますが、まさにそんなイメージです。本物のようにしているけれども本物ではない、何かになりすましているのだけれど、どこかでしっぽが出てしまう、そんな愛嬌のあるズレ感があります。

実は「もどき」とは、「擬」、「牴牾」と書き、「批判や非難などを意味する動詞『もどく』の名詞形」だそうです。「真似ること」の中には、もともと「揶揄」など、強い批評性があり、それを和らげるために「滑稽」に演出するということも起きたでしょう。中世の田楽などに、その「もどく」の原型が見られるようですが、三島の作品の毒もこのあたりとつながっているようです。

「社会的な出来事」と「個人の軌跡」

ここで、最初の迷路型作品『Newspaper 08』と、今見てきた新聞束の『Work92-N』に話を戻しましょう。2つの作品は姉妹作のような関係で、見た目も似ていますが、使われた新聞も1970年頃から2000年頃までと、両者は共通しています。

その理由を三島本人に聞くと「これは自分が旅行した際にそれぞれの訪問先からもち帰ったもの」と語りました。新聞だから「当時の社会一般の出来事が掲載されたもの」で、「その時代の（代表的な）出来事」であるわけですが、同時に「自分の生きた時間と場所の記録」ともいっていて、三島の当時の生活の一端を表すものでもあるわけです。この期間、三島は日本にいながら、多くの国に旅をしていました。そしてその場所場所で手に入れた新聞を自分の記録として残してきました。

この膨大な量の新聞は、30年間の日本や世界で起きた事件の記録ですが、同時に三島の生きた時間の記録でもあるわけです。ですからこの新聞は、「新聞」一般ではなく、三島の生きた軌跡と社会とが交差する特定の「新聞」です。その時間が、ものの姿となって目の前にそびえています。

「時間」を物量によって表現するというアイデアは、次に登場するレンガの作品でも活用されます。

敷き詰められた1世紀分のレンガ

前2つの新聞紙の束による作品と同様に、アートファクトリー城南島で見られる3つ目の作品も「新聞」を扱っています。正確にいえば「記事」だけですから、より「情報」だけを取り出した作品です。作品名は『Work2000-Memory of Twentieth Century（20世紀の記憶）』。この作品は、床面にレンガを約2万個並べ、ぎっしりと隙間なく敷き詰めたもので、10メートル×22メートルの大きさがあります。

特殊な耐火レンガで、普段焼物をするときに下に敷いて使う台に用いられていたものを転用しています。何度も窯詰めされ、千数百度で焼き上げられてきたものです。単なる道具ですから、土の種類も焼き上がりもまちまちですし、色も濃い茶もあればグレーがかったものもあり、様々。形もいい加減です。崩れたり、中には断片化してしまったものもあります。要は主役の焼物をうまく焼くためにつくられたものですから、そのための要件を満たしていれば、どんな姿形で、土がなんであろうといいわけです。三島はそういう見向きもされないもの、主役にならないものに興味を抱くのです。

ひとつひとつの耐火レンガの上にびっしりと新聞の記事が転写されていて、辛うじて読めるものもあれば、そうでないものもあります。表面が荒れているせいでしょう。今、表に見えている記事はどれも日本のものですが、裏を返すと、英語、仏語、独語、中国語、韓国語など世界の言語による新聞記事が転写されています。片面は日本、もう片面は海外です。20世紀の100年分にあたる1900年から2000年までの中から抜粋したものです。明治、大正、昭和、平成という日本の年号とも関連しますが、ダイレクトに西洋暦の1世紀分。まさに近代を象徴する20世紀を対象に、そこから記事を抜き出しています。この作品を制作するために、図書館でマイクロフィルム

三島喜美代『Work2000-Memory of Twentieth Century』 1984-2013年
アートファクトリー城南島　撮影：小川重雄
レンガの奥に見えるのが、古新聞の束（『Work92-N』）と古新聞の迷路（『Newspaper 08』）。

三島喜美代『Work2000-Memory of Twentieth Century』（部分） 1984-2013年
アートファクトリー城南島　撮影：小川重雄

を繰りながら記事や写真を選んだと三島はいっていました。

この作品のメッセージを端的にいえば「強迫的に迫り来る日々の情報も、あっという間に不要となりゴミとなる」です。それにしても大変な質量です。情報とは元来質量をもちませんが、それがレンガに転写され、物量化しています。

異なる価値観が結び付く

これまで自分の生活の周辺から新聞を採取していた三島にしては、今回の100年という期間や図書館での記事の選択など、従来と異なった方法を取っています。新聞紙という姿でもありません。情報として記事だけを選び、瓦礫(がれき)を連想させるレンガに転写しています。前に見た2作品のように、新聞と三島の生きた時間や生活との関連もありません。大雑把(おおざっぱ)には三島の生きている時間ですが、広い範囲の時間概念の中でのことで、ひどく抽象化されています。

崩れかけたレンガが大量に床に敷き詰められている風景は、まるで瓦礫の山のようで、無残な20世紀の風景のようにも見えてきます。敗戦時の焼け野原か、大地震の跡か、建築の解体現場か。

では、これまでのような三島との関わりはどこにあるのでしょうか。それは一見瓦礫に見えていたレンガにあります。このレンガは三島から遠い存在ではなく、むしろ三島にとって身近なものです。三島が陶の作品を制作するときの台として長年使っていた、三島の作品を支えてきたレンガです。あまりにも何度も高温で焼かれたためにほとんど石化し、自然物のようになってしまっていますが、これは三島の生きた時間がまさに刻印されたものたちなのです。

ここでも見た目と実際のズレ、あるいは、事実と見かけの違いが隠されていました。この落差こそが三島の作品の特徴です。まるでコインの裏表のように、異なった価値観がひとつのものに隠されています。そして、それはまったく異なった世界のように見える一方で、分かちがたく結び付いています。三島の描き出す世界は、一体、社会的なのか、私的なのか、もしくは、悲劇的なのか、喜劇的なのか。いつでも価値の転倒が起こります。

消費と情報の時代のアート

「消費は美徳」。この言葉が使われ出したのは、確か昭和30年代も後半になってから、1960年代頃からだろうと思います。昭和30年生まれの私にとっては、物心ついてからの暮らしの突然の方向転換に戸惑った覚えがあります。何でも後生大事に取っておく近所の老婆は、一度鼻をかんだチリ紙も手焙(てあぶ)りで乾かしてまた使うような人でした。「もったいない」はどこの家でもいわれていて、新聞、広告や何やかやと仕舞い込んでいました。こんな暮らしが当たり前で、かつての日本はゴミがあまり出ない生活でした。

それが1970年代前後で突然変わっていきました。単に自分の家が変わったとか、近所の家が変わったとかというレベルではなく、一斉に日本中が変わりました。「ゴミ」を捨てるようになります。ポイポイと。

アメリカ型の消費文化が流入し、ファストフードチェーン店が銀座や新宿に誕生したのがその頃です。プラスティック製の容器やスプーンなど、廃棄を前提とした物が溢(あふ)れ出し、〝消費〟が世の中の前面に出ていった時期です。

もうひとつのこの時代の特徴は、事件によって時を刻んでいたことです。事件が世の中を動かしていました。こういうと少し語弊があるかもしれませんが、あたかもマスメディアから流れる情報によって日々の出来事が生まれるがごとく、世の中が動いていたのです。大人も子供も日々メディアから送られてくる情報を頼りに世の中を知り、時代を感じていました。

消費と情報というテーマは、実は三島の専売特許というわけではありません。20世紀も中盤から顕著になる「消費文化」を美術のテーマにした「ポップアート」が、まさにその先駆けでした。イギリス、アメリカを発信源にします。皆さんも、アメリカのポップ・アーティストの代表である、アンディー・ウォーホルをご存じでしょう。マリリン・モンローや、キャンベルのスープ缶のデザインをそのままアート作品にしました。

1960年代生まれのポップアートは、瞬く間に世界に広がりました。日本にもポップな表現を行なうアーティストが登場しました。「消費」と「情報」に強い関心を抱き、それを作品にしてきたという意味では、三島も「ポップアート」の特徴をもった作家といえないことはないのですが、「ポップアート」を意識して制作してきたというよりも、時代の顕著な特徴に反応した結果、「ポップ」な要素をもつ作家になっていった、ということだろうと思います。

ゴミの視点から世界を眺める

三島にとって新聞紙も含めた廃棄物、いわゆる「ゴミ」は特別な存在です。「昔からゴミばかりが気になる。ゴミを見ていると時代がわかる」、「海外に行ってもゴミばかり見ている。そこから国の文化や情報がキャッチできる」と、三島は「ゴミ」に取り憑かれていきました。当初は「氾濫する情報、物への恐怖から、新聞やチラシ、空き缶、ゴミなどを扱い始め」、「そこから見えてくる世の中というものが逆に面白くなってきた」といいます。

大量に産み出されるゴミに対して、はじめは廃棄する立場から見ていましたが、次第に廃棄されるゴミの視点から世の中を眺めるようになっていきます。

そしてゴミを、擬人化したような、あるいはキャラクター化したような存在としてつくり上げていきます。巨大な新聞の壁でできた迷路や、陶製の新聞紙の束といった、三島独特のゴミ作品の出現です。「どや、ここにいたらアカンのかいな⁉」と大阪弁でどやされそうな、存在感たっぷりのゴミの作品群です。

愛すべき人間、愛すべきゴミ

三島の擬態の対象は、消費社会が産み落とした消耗品であり、ゴミでしたが、三島が伝えたいものは、やはり捨てきれないもの、消費されないものでしょう。本来なら捨てられた時点で意識の外に追いやられるゴミばかりを作品にしてきたのですから、そうなります。

では、捨てきれない〝もの〟とは何でしょうか。三島が繰り返し、拾い上げて我々の前に差し出してくるものは何なのでしょうか。そしてそれとは対照的に、三島がおどけながらも、揶揄し、非難しているものは何でしょうか。

それは人間です。人間の中には無数の矛盾や欺瞞が存在しています。人間というものは、気高く、美しく、唯一無二の存在であるけれども、一方で、どうしようもなく邪で、だらしなく、無責任で、抜け目ない存在でもあるような、両義的で、対立的な存在です。

三島が愛し、目を向ける対象が人間ならば、非難するのも同じく人間なのです。三島は、そういう人間の矛盾した姿に目を向け、興味をもつのです。

「無駄なものなどないのではないか?」。三島はそうも語ります。擬人化した廃棄物を作品としてつくる三島は、人とゴミをどこかで重ね合わせて見ているのでしょう。

「箸にも棒にもかからないものも、愛すべきものであるよ」と、不格好な巨大オブジェは、我々に訴えかけます。

三島喜美代

Kimiyo Mishima

(1932–)

大阪府生まれ。
油彩画、コラージュによる平面作品を経て、1971年から陶に新聞紙や雑誌を転写した作品を発表。斬新な表現が海外にも紹介され、1986～87年、ロックフェラー財団奨学金によりニューヨークに留学。数々の賞歴を重ねるとともに、2000年以降も香川県・直島に巨大なゴミ箱をモチーフにした作品を野外設置するなど、国内外で精力的に活動を続ける。

アートファクトリー城南島

◆所在地　東京都 大田区 城南島 2-4-10
TEL 03-6684-1045

◆入館方法　予約制（予約は施設公式サイトから）

◆開館時間　9:30～21:30（平日）
9:00～17:00（土・日・祝日）

◆入館料　無料

◆アクセス　JR大森駅（東口）、京浜急行線大森海岸駅または平和島駅、東京モノレール流通センター駅（南口）のいずれかより、京急バス「森32系統（城南島循環）」で「城南島二丁目」下車　徒歩3分

◎営業時間・入館方法等が変更になる場合があります。お出かけ前に各施設のWebサイト等で最新情報をご確認ください（上のQRコードから各施設のサイトに入れます）。

Art 5

元みかん畑に展開する人とアートの起源を感じるためのアートプロジェクト

杉本博司 Hiroshi Sugimoto

『小田原文化財団　江之浦測候所』

●神奈川県・小田原市

美術館？　建築？　庭園？　遺跡群？　遊歩道？

現代美術作家の杉本博司が小田原で展開する『小田原文化財団　江之浦測候所（えのうらそっこうじょ）』は、これまで紹介してきたアート作品とは少々異なるかも知れません。それは一つの作品というにはあまりにも数多くのもので構成されていて、また、あまりにも広い範囲に広がっているからです。

『江之浦測候所』は、小田原のもともとはみかん畑であった9千446平方メートルの小高い丘に、杉本博司が制作する建築物、構築物からなる場所の総称で、未だに継続しているアートプロジェクトです。これまでも十数年の歳月をかけてつくり続けてきました。

完成しているものは、作品を鑑賞するためのギャラリー棟、光学ガラスでできた能舞台、巨石を配した石舞台、千利休の「待庵（たいあん）」を本歌取（ほんかど）りした茶室、これまで収集してきた銘石を配した庭園、各地から集められた由緒ある門、神社、そして訪問者が集まる待合棟、みかん畑をめぐる遊歩道です。

これらを見て人々は、そもそも江之浦測候所とはいったいどのような施設なのか？美術館か？　建築か？　庭園か？　遺跡群か？　遊歩道か？　そう問いたくなるでしょう。これらは単なる機能をもった建物や公園というわけではなく、それぞれが杉本の創作世界に深く関わった、杉本の歴史観、人生観、美意識を映した、アート作品なのです。

杉本は写真を使用したコンセプチュアルな作品で世界的に知られたアーティストです。『江之浦測候所』の構想を開始する2000年あたりから巨石や過去の遺物、古美術収集などを始め、建築設計も開始していますが、こういったマルチタスクなイメージはむしろ以降のもので、それ以前の杉本は抑制の効いたミニマル（最小限な、過度の装飾を省いた表現手法）な印象の写真作品を制作する禁欲的な姿勢の作家でした。

代表的なシリーズである『海景（かいけい）』『ジオラマ』『劇場』など、すべてモノクロームでできており、視点も固定されて限られた画角の中で同一のテーマを繰り返し、微妙な差異によって繊細な作品を成立させてきました。上映された映画を長時間露光してホワイト・アウトさせたスクリーンを撮影した『劇場』シリーズや、世界中の海を水平線だけからなる同一構図で撮影した『海景』シリーズなど、時間と場所をテーマに、「いま・ここ」と「歴史」を対比させ、杉本の存在と世界、あるいは宇宙との関係を問うコンセプトをもった作品で知られていました。

2002年の直島『護王神社』の改修や2003年の銀座メゾン・エルメスフォーラムの『杉本博司：歴史の歴史』展からジャンルが拡がり、新作をつくり、古物も利用する、また、写真を制作すると思えば、立体作品をつくり、建築も設計する、能や文楽の公演を行なうといった、幅広い活動になっていきました。いまでは肩書を見れば、現代美術作家、写真家、建築家、文楽の総合監督、骨董蒐集家など、多彩な顔をもち、様々なメディアを利用するコンセプチュアル・アーティストであり、新しい価値を生み出すプロデューサーです。

本人が気に入っていて、よく名前を挙げる歴史的なクリエーターに現代アートの開拓者であるマルセル・デュシャンと侘び茶の大成者である千利休がいます。片や20世紀の現代アートの先駆者であり、もう一方は日本の戦国時代の美の改革者です。全く異なる時代と世界で活躍した創造者ですが、杉本の中では同質の思索的で力強いクリエイティビティを感じるようです。

なぜ小田原の地が選ばれたのか

さて、話を戻して、『江之浦測候所』で杉本の行なっていることについてまとめましょう。

時代も様式も違うさまざまな建築物、造形物で構成されていますが、それらは杉本のアートの世界の要素だということ。通常、アートと聞いて連想する作品の外観、スケールからはだいぶかけ離れていますが、全体の示すものが杉本の語りたいことなのです。

また古いものを使用していたとしても、単なる考古的、博物的資料としてあるのではなく、必ず杉本独自の解釈が加わり、存在しているということ。また、もう一つ重要な点は、この『江之浦測候所』のロケーションで、なぜここが選ばれたかということです。

かつてみかん畑が広がっていた海抜１００メートルほどの小高い丘からは、相模湾を見下ろすことができ、美しい自然景観を楽しむことができます。晴れた日であれば、房総半島から伊豆大島まで眺望できる風光明媚（めいび）な風景は小田原を代表する自然景観です。それはこの地域を代表する唯一の風景なのですが、その自然のオリジナリティというだけで話は終わっていません。その一方でこれらの風景は杉本によって日本の歴史や文化と関連付けられ、また杉本個人の創作の動機とも関連付けられて物語られています。たとえ自然景観であったとしてもそれが単に風景としてあるのでなく、杉本によって意味を与えられているのです。

例えば目の前の相模湾の風景は、水平線によって上下に切り分けられたシンプルな海景で、遮るものもなく、ただ水平線があります。この単純な風景は杉本の『海景』シリーズを彷彿とさせます。そしてそのように見えるのは、なにか特別な意味があるのです。

これは本人が語ってはじめてわかることなのですが、小田原は自分の創作の出発点と関わる場所なのです。

杉本によれば、子供時代に旧東海道線に乗って真鶴から根府川駅に向かっている途中、その間で自己の存在の気づきのような瞬間をもったのです。これは自らの意識のはじまりとも自我の目覚めともいえる少年期の経験ですが、杉本の場合はそれで終わることなく、その後の『海景』へとつながっていきます。

まるでプルーストの『失われた時を求めて』の五感から喚起される無意識的記憶の創出のような出来事ですが、かつて旧東海道線の真鶴と根府川駅の間に、海側に点々と窓の開いた通称「眼鏡トンネル」があり、それを抜ける過程で、トンネルがつくる交互に現れる光と影の情景と、その後に光とともに現れる大海原を見て、杉本は意識の目覚めのような体験を得ます。これは、もしかすると古代の人間も同様な経験したのではないか、人間の意識の覚醒は海を見ることによって起きたのではないかと杉本は思うようになります。感受性の強いナイーブな少年のこの日の出来事は、今日の杉本の世界観の基礎を形成しています。

そのことを杉本本人は著書『江之浦奇譚』の中で「このときから私の記憶が始まった」とも「私の人生の始まり」とも書いています。

その幻灯機の絵のような光と闇の光景と自己意識の目覚めは、杉本の評価を固めた写真というメディアのもつ特質と関連しますし、また『海景』シリーズの制作動機ともなっている出来事です。

実際の風景や建築物でありながら、一方で空想的で、物語的な世界が綴られていく、これは杉本の創作の特徴です。

夢と現実を行き来するような、あるいは過去と現在が交差するような、空想的な時間軸の中で物語が綴られていきます。杉本はこれを「夢」と関連付けて語ります。そういえば能も写真も骨董もどこか夢と現実の間にあるような、あるいは存在と不在、生と死を行き来するような世界です。

天と人との関係を推し量る「測候」所

また単に視覚的な効果だけでない、言葉との関連から読み込んでいけるところが杉本の世界です。

2017年秋のオープン当時、江之浦測候所は、まずはその名称で人々を驚かせました。杉本が芸術家であると皆知っているわけですから、測候所が通常示すような気象庁に付属する気象観測や地震観測のための場所でないことはよくわかっています。それではなぜこのような人が戸惑うような奇妙な名称を杉本はつけたのでしょうか。

これについては必ず質問されるだろうと本人も相応の答えを用意していました。開所時の記者発表会・口上にありますが、「日が昇り季節が巡り来ることを意識化し得たことが、人類が記憶を持ち得たきっかけになった。この〝ひとの最も古い記憶〟を現代人の脳裏に蘇らせるために当施設は構想された」といい、人と天空、あるいは人と自然の関係の原初を思い出させるためにこの場所をつくったという意味のことを述べています。その関係を推し量ることが「測候」だというわけです。精神の世界なのですが、そこに数量的な概念を入れ込むところが杉本らしいのです。

自分の子供時代の眼鏡トンネル通過時の「意識の目覚め」は、やがて人類の「意識の目覚め」とリンクして大きな物語へと変わっていき、『江之浦測候所』の存在理由へとつながっていきます。

江之浦測候所のwebサイトでは更に詳しくこう書いています。「新たなる命が再生される冬至、重要な折り返し点の夏至、通過点である春分、秋分。天空を測候する事にもう一度立ち戻ってみる、そこにこそかすかな未来へと通じる糸口が開いているように私は思う。」

後で詳しく述べますが、杉本は、実際に冬至（とうじ）の日の出の方向に向けて隧道（トンネル）を掘っていて、最も日が短くなる冬至の朝一番の光を受けるというコンセプトでこの場所をつくっていますし、また夏至（げし）の朝日が出る方向に向けて100メートルの長さをもつギャラリーを建設していて、太陽の運行による時の循環を体感させる仕掛けをつくっています。

天と人の関係を意識した建築の配置や構造は、杉本にとって〝人とアートの起源を感じるためのもの〟であり、そのために入念に設計されているのです。

最寄り駅は東海道本線の無人駅

さて、それでは実際に足を運んで訪問したときの順番で『江之浦測候所』を味わってみましょう。

最寄りの駅である根府川駅は、東海道本線の無人駅です。東京からこんな近場で無人駅があるというのも不思議な感じですが、周辺は静かなところで、コンビニエンスストアひとつもありません。本当にこんなところでいいのかと少々不安になりながら待っていると専用の送迎バスが迎えに来ます。そこから急峻な斜面をつづら折りのように続く道を登っていきます。

かつては日本で有数のみかん栽培地であったところだそうですが、いまはその面影がほとんど残っていません。時間は10分かからないほどでしょう。外の移り変わる風景を見ているうちに目的地に到着します。

最初に待合棟を訪れます。

中央のテーブルは樹齢1000年を超える屋久杉が使用されているそうで、支柱は高野山にあった水鉢です。

待合棟の外、玄関入り口脇に信楽焼の丸い形の井戸枠があります。時代は室町とのこと。なかなかのもので、だいたい信楽焼の井戸枠など他には聞いたことがありません。杉本もその希少性と緋色の美しさに惹かれて手に入れたようです。北大路魯山人から小林秀雄へと渡った由緒ある品物です。

『江之浦測候所』の見どころの一つはこういった細部にもあって、随所に骨董蒐集家の杉本の眼が感じられるのです。いっときは骨董商だった時期もあり、数々の名品を収集しています。また〝杉本好み〟とでも呼べるオリジナルの軸ものの装丁などを考案して骨董界にも新風を巻き起こしています。

夏至の朝日の方向を向く『夏至光遥拝(ようはい)100メートルギャラリー』

外に出て自由に歩き回り始めるとやはり目に入るのは、『ギャラリー』と『隧道』です。大きいだけでなく、この場所の基準となる長さや方角をもっているからです。『夏至光遥拝100メートルギャラリー』は、この土地が海抜100メートルという高さであるのに合わせて、長さ100メートルの単位を設け、設計されています。これは杉本本人も述べているように、マルセル・デュシャンからの本歌取です。

デュシャンの作品の中に『三つの停止原器』と呼ばれる作品があります。1メートルの長さの紐を1メートルの高さから落とすという遊びのような試みで、落下後の姿を写し取って、それを1メートルの新たな基準にするという作品です。

杉本はこの手の思考実験とも遊びともいえることが大好きで、今回も自らにルールを課して100メートルのギャラリーを海抜100メートルの位置に設計しています。

幅はたったの3メートル。夏至の日の出の方角に向いていて、先端部分の12メートルが丘から突き出ています。この突き出し部分を建築構造上持たせるだけでも基礎部分に相当な工夫が必要ですが、杉本はそれでも飽き足らずに、壁の片面を総ガラス張りにして柱を一本も入れていません。

この危険な賭けに出る設計時には、自分に言い聞かせるように「自分は建築家ではない、アーティストなのだ。アーティストに建築を設計させると危ないものになる」と自分を納得させています。

１００メートルの間には、北向きの遮るもののない透明ガラス壁が続きます。建物の感じとしては大きな庇構造といった感じで、見た目があまりにもスッキリしているので、気が付かない人は何も気が付かずに過ぎてしまうかも知れませんが、建築的には相当に手間のかかった設計です。見えない地下部分に垂直に10メートルの柱が刺さって地上部分が全体を支えています。

こういった基礎的な設計も凝っていますが、それを覆い隠してしまうようにディテールも凝っています。

ガラス面に対して反対側になる南側の展示壁面は、大谷石でできています。大谷石を選んだ理由は、フランク・ロイド・ライトの設計による旧帝国ホテルの大谷石の威風堂々たる存在感に感心したからです。これも子供時代につながる記憶です。その後、再度大谷石と出会う機会があり、改めてその魅力に惹かれていきます。

杉本は古いものが好きですが、それも人の手から永らく離れて、自然の侵食が進ん

夏至光遥拝100メートルギャラリー©小田原文化財団
左端部分が海に向かって中空に伸びている。夏至の朝、光がまっすぐ入る。

だものが好みなのです。腐食の早い大谷石の錆びた風情はもちろん杉本好みなのです。このときもきちんとした職人仕事を退けて、あえて荒れた肌の仕上げをしています。それはどこか遺跡を思わせます。

杉本が思いを馳せたときに浮かぶこのギャラリーの行く末の姿は、「屋根が腐り落ち、重力を支える構造体を支える壁だけが残っている」というものであり、「蔦が絡まった諸行無常を湛え」る廃墟だそうです。「その時にこそ建物は完成する」とさえいっています。

こういった杉本の独特の時間感覚と美意識は、骨董に対する嗜好や建築のディテールなど、ところどころに姿を表します。

冬至の朝日を受ける『冬至光遥拝隧道』

続いてもう一つの大きな構造物である『冬至光遥拝隧道』についてです。こちらは、年に一度の冬至の朝、水平線から昇る朝日が入り口から奥深くまで入り込むように設計されています。およそ70メートルの長さあり、先端部の6メートルは海に向かって突き出ています。全面、厚い鋼鉄の壁です。

ここで使われているのはコールテン鋼と呼ばれる鉄で、普段は建築用の外壁材や橋

冬至光遥拝隧道©小田原文化財団
海に向いた開口部から真っすぐに冬至の朝の光を受けるトンネル入り口部

梁などに使用されるものです。緻密な錆によってそれ以上の錆を呼ばない、比較的腐食が進まない鋼材で、錆色は茶褐色で美観を備えており、まさに杉本好みの色というところでしょう。ここでも古色好みの杉本が顔を覗かせます。

隧道の深い闇の、その中程あたりでしょうか、「光井戸」と呼ばれる場所があり、天井部分から光が差し込む開口部と、真下には砕けた光学ガラスを敷き詰めた石の井戸があります。

降り注ぐ光は淡いのですが、それがかえって美しく、井戸を照らし出します。光を受けて、敷き詰められたガラスは反射してキラキラと光っています。

木組みが支えるガラスの能舞台とトタン屋根の茶室

この隧道の先にあるのは、懸造『光学ガラス舞台』です。

能舞台としてつくられたものですが、舞台づくりへの思いもまた杉本の活動の広がりの中で生まれてきたものです。杉本の写真中心の制作の時代を知る私としては、当初、文楽や能の公演を行なう杉本の真意を測りかねた時期もありました。

それまでの写真で伝えていた内容とあまりにも乖離しているように思ったからです。

ミニマルで抑制の効いた杉本の写真作品は、さまざまなものを削ぎ落とした結果、誕生した表現です。徹底的に形式的であるから、また豊かな世界を語ることができるのです。

それはまた、杉本の高い技術力によって支えられているもので、自身が直接制作することで生み出されるクオリティなのです。杉本が直接制作に携わらずにプロデューサー的な仕事によって、それが果たして実現できるのか疑問に思いました。

杉本のこだわりが理解できるようになったのは、ずいぶんと最近のことで、恥ずかしながらこの『江之浦測候所』の仕事が公開されてからです。

さて、なぜ杉本は能舞台をつくるのか、あるいは演劇的な動き、パフォーマンスに興味をもつのかということですが、ここでも本人がそれまでの写真の仕事と比較して説明しています。

写真は世界の神秘をあぶり出すために「世界を止めて、ゆっくりと、静かに、世界を観察できるようにする」そのための装置としてある、とのことですが、長年、杉本はそれを黙々と実行してきました。

その作業は、まるで「交通整理をする巡査のよう」に孤独で退屈なものでした。どこか動く世界の外にぽつんと自分だけが佇んでいるように思えたそうです。そして杉本は自分だけ静止した世界にいることに疲れてしまった。動くものの中で、人々がつくり出す、そのダイナミズムの中で表現活動を再構築したいと考えたのです。「動き」の中で自分の活動を位置づけたい。杉本から見た演劇は、まさに「動」の表現でした。たとえそれが虚構であっても社会とダイレクトに繋がっている、この認識は杉本に変化をもたらします。写真に留まらず、立体作品の制作や建築の設計、文楽や能公演のプロデュース、古美術を使用したコンセプチュアルなアートの展開と活動を始めます。そのきっかけとなったのが演劇的な時間、ライブでドラマチックな時間です。

そう考えると能舞台への執着も理解できます。

暗い隧道を抜けた先に光学ガラスが敷き詰められた能舞台が出現します。それは海に向かって存在しています。

舞台に使用しているガラスは、これ以上の純度のものはないというカメラレンズで使う光学ガラスで透明性の高いものです。水や光の隠喩とも考えられますし、なによりもカメラのメタファーとも考えられるでしょう。

そのガラスを支えているのは、京都清水寺の工法として知られる懸造といわれる木組みです。急勾配に立つ能舞台は、四十八本の檜の柱が支えています。その下の自然石の礎石との組み合わせを含め、古代工法と近代工法の組み合わせた複雑な取り組み

冬至光遥拝隧道と光学硝子舞台©小田原文化財団
冬至の朝の光を浴びるガラスの舞台。左側の海に伸びる立方体が『冬至光遥拝隧道』の開口部。

です。

古い工法を使った構築物は他にもあります。もう一つ触れておきたいのが、茶室です。『雨聴天(うちょうてん)』と命名された茶室は、千利休の「待庵」を手本にして設計されました。間取りは寸分違わずに写し取っていますが、杉本の工夫は屋根部分でした。江之浦の畑にかろうじて残っていたみかん小屋の屋根で使用されていた古びたトタンを丁寧にはがし取り、それを茶室の屋根として掛けたのです。

雨が降ればトタンを打つ雨の音がします。

それを聴くというところから『雨聴天』という名前が生まれました。

こういったダジャレのような言葉の感覚もいかにも杉本的です。

杉本にとって千利休の「待庵」の写しを行なうことは、単に一個の茶室を学ぶ以上に、茶の全体像をつかまえるための実践でもありました。改めて茶の歴史を振り返ることで、日本の茶文化のユニークさを西洋文化との比較の中で知ることになりました。「待庵」から『雨聴庵』を考案していく中で、千利休のガイドを得つつ、杉本は独自の茶室のアイデアを考えていきます。そしてそれは、いまも新たな茶室の考案へと続いていています。

杉本はいいます。

「茶の湯、そこには西洋で言われるアートの要素がすべてある。所作（ダンス）、軸（ペインティング）、椀（スカルプチャー）、湯のたぎる音（音楽）、そして茶室（建築）。それらすべての要素が互いに深く係わり合いながら、渾然として一つとなってある。」

杉本の日本趣味は、それ自体で閉じた価値体系としてドメスティックに存在するのではなく、つねに欧米の芸術的な価値体系との比較によって生まれています。

日本的であることと国際的であることの間でこれまで引き裂かれてきた日本文化ですが、杉本はそれを乗り越えようとしています。

近い時代では、イサム・ノグチが日本文化の国際化に尽力しました。その後を引き継ぐように、杉本の現代アーティストとしての国際的評価が後押しをして、日本のドメスティックな文化の、国際的な読み替えが行なわれていきます。

将来は遺跡になることを夢みて構想

建築や造園に使用される素材は、近隣で得られる素材を中心に杉本と関わりのあるものが使用されています。根府川石や小松石など、地元で取れる石材を使用するほか、近くの早川石丁場群跡から出土した江戸城石垣用の石を使用したりしています。石も杉本にとって重要な素材であり、並々ならぬ興味を表します。

石は古代から人間の文明を支えてきた存在であり、同時に山や自然の現れでもあるからです。また随所には、古代から近代までの建築遺構から収集された考古遺跡なども配されて『江之浦測候所』という場をつくり出しています。多くの見どころがあり、じっくり見ても見きれません。

1万年後、将来には遺跡となることを夢見て構想したという『江之浦測候所』は、その存在そのものがアートとしかいいようがないものです。杉本の世界観に触れることができる唯一無二の場所でもあります。

杉本は「神や仏の存在感が希薄になったこの世に生きながら、前近代をさらに遡って、古代に人々の意識の有り様がどのようであったかを追体験してみたいという願いを持った」といいます。「私は古代人が神殿をつくる思いで、この建築群を構想し、設計を始めたのだ」「それは私の心の発掘なのだ」。

杉本のプロジェクトはまだまだ続きます。「心を空に遊ばせて、夢想に浸」（杉本）りつつ、『江之浦測候所』の真髄を体験してみてください。この場所では、美しい日本の風景がひろがり、悠久からの時の流れが止まることなく流れているのを感じることができます。天上には大きな空がどこまでも広がっています。

杉本博司

Hiroshi Sugimoto

(1948-)

東京生まれ。

1970年に渡米。ロサンゼルスのアート・センター・カレッジ・オブ・デザインで写真を学び、74年にニューヨークへ移る。『ジオラマ』『劇場』『海景』などの大判カメラを使用したモノクロ写真シリーズが現代アートとして評価を受け、世界の主要な美術館で数え切れないほどの個展、グループ展を開催。表現活動は多岐にわたり、多くの国際的な賞も受賞。国内外で高い評価を受ける日本人アーテイスト。

小田原文化財団　江之浦測候所

◆所在地　神奈川県小田原市江之浦 362-1
TEL 0465-42-9170

◆見学時間 事前予約・入替制
午前の部：10:00 ～ 13:00
午後の部：13:30 ～ 16:30
それぞれ3時間の見学時間の中で自由に見学。
（期日限定で夕景の部等、特別見学時間帯もあり）

◆休館日　火・水曜日、年末年始および臨時休館日

◆入館料　3,300円　インターネットで事前に購入
（注：支払い方法いにより受付期限あり）
※施設内の特性と安全性から中学生未満（乳幼児含む）は入館不可。

◆アクセス　最寄駅JR東海道本線根府川駅または真鶴駅。根府川駅は無料送迎バス運行（各回、往復ともに3便ずつ運行）。真鶴駅はタクシー利用を。

◎営業時間・入館方法等が変更になる場合があります。お出かけ前に各施設のWebサイト等で最新情報をご確認ください（上のQRコードから各施設のサイトに入れます）。

名品鑑賞に学ぶ 現代アートを楽しむコツ 3

● 異なった**反対の価値観**がひとつの作品の中に隠されていることも

「社会的なのか、私的なのか、悲劇的なのか、喜劇的なのか、いつでも価値の転倒が起こる」（ART4 三島喜美代『Newspaper08』ほか）

● 作家の解釈が加わり、意味が付与されていれば、〝**場所**〟もアートになる

「これらは単なる機能をもった建物や公園というわけではなく、それぞれが作家の歴史観、人生観、美意識を映したアート作品なのです」（ART5 杉本博司『江之浦測候所』）

Art 6

共に遊び、共に生きる、触れ合いの装置

レアンドロ・エルリッヒ Leandro Erlich

『スイミング・プール』

●金沢21世紀美術館／石川県・金沢市

プールに出現する思いもよらぬ光景

今、日本で鑑賞できる現代アートの作品のうち、一番の人気ものといえば、アルゼンチン生まれのアーティスト、レアンドロ・エルリッヒによる『スイミング・プール』かもしれません。

作品のある場所（作品がスイミング・プールになっているので、正確には作品の中）は写真の撮影が可能なので、美術館を訪れた人々がスマートフォンを片手に記念に一枚という具合に写真を撮ります。今では『スイミング・プール』は、金沢21世紀美術館訪問記念の撮影スポットになっています。

美術館を訪れ、家族や仲間と、あるいは、プールがきっかけとなってその場で知り合いになった人と一緒に、ニッコリと笑顔で写真に収まっています。

2004年に金沢21世紀美術館が開館したのと同時に、恒久設置作品として誕生し、以後、作品を見に来る人が絶えることはありません。金沢21紀美術館といえば「レアンドロのスイミング・プール」という具合に、今や美術館の顔になっている作品です。

その周囲にはいつも、作品を初めて見る人の驚きの声や、十分に楽しんだ人の笑い声が溢(あふ)れています。

レアンドロ・エルリッヒ『スイミング・プール』　2004年　金沢21世紀美術館蔵
撮影：渡邉修　写真提供：金沢21世紀美術館

作品が置かれているのは、正面の入口から入ってすぐ目の前に見える、中庭のような屋根のない場所です。一見するとただ、幅4メートル、長さ7メートルほどの小型の水泳用プールがあるだけのようです。アートであると認識できずに、通り過ぎる方もいらっしゃるかもしれません。

ライムストーンのデッキが周囲を縁取り、プールは明るいブルーに彩られています。訝しげな気持ちでプールに近寄ると、そこに思いもよらぬ光景が出現します。プールの水の中に、何人もの人がいて、立ち止まったり、うろうろと歩き回ったりしているのです。初めて見た人はたいてい驚きの声を上げます。子供の頃に絵本で見た、カッパの国や竜宮城のような水中の世界が、現実となっているのです。

仕掛けがわかれば、その秘密はとてもシンプルです。

プール全体が地中に埋め込まれていて、水面にあたる部分には、ガラスが嵌められています。そのガラスの上に水が張られているのです。そうするとまるでプールが満水であるかのように見えます。実際の水深は10センチあるかどうかです。

一方、水槽部分には別の入口があり、地下室のように自由に人が出入りできます。ちょっと離れた場所から地下の水槽へと入っていくので、上から覗き込んでいる人には、水槽に忽然と人が現れたように見えます。

レアンドロ・エルリッヒ『スイミング・プール』　2004年　金沢21世紀美術館蔵
撮影：渡邉修　写真提供：金沢21世紀美術館

この構造によって、上方からは水中に人がいる光景が、下方からはプールを不思議そうに覗き込む人たちの姿が見られるのです。

たとえ水深がなくとも、水は流れて波紋をつくり、光の揺らめきをプールの中に浮かび上がらせます。そのため構造がわかっていても、本物のプールの中にいるように思えることがあります。屋外に置かれた作品だったことが、功を奏したようです。

世界で最も記念写真が撮られたアート

興味深いのは、前述したように、来館者の多くがここで記念撮影することです。プールの中で撮影したり、ガラス越しに上と下から撮り合ったりと、撮影の仕方は様々です。最近は、プールの中の梯子に足をかけたポーズが流行っているようです。

また近年は、あるアニメのエンディングの場面で引用されたので、作品ゆかりの場所を訪れる、いわゆる「聖地巡礼」で来館し、記録として写真を撮っている人もいます。

レアンドロ自身が、この作品について、「世界で最も記念写真が撮られたアートだ」と誇らしげに形容したほどです。

レアンドロが、そのような反応を見せるのは、ただ単に彼が気さくな人物だからというだけではありません。確かに彼に実際に会うと、妻と子供を愛する、いかにも「気のいい青年」で、私もこうしてついファーストネームで呼んでしまいますが、ここで彼のパーソナリティを掘り下げようとは思いません。

重要なのは、彼にとってアートとは、こうして仲間や他の来館者と写真を撮り合ったりするような、作品によって生じるコミュニケーションまでもを含めた「状況」だということです。

彼がつくる立体物は、人と人を結び付けるための「装置」にすぎません。『スイミング・プール』は、立体作品としての造形美を堪能するための作品ではないのです。もちろん人を惹き付けるためにはある程度のクオリティが必要ですが、その質感によって作品を成立させているわけではありません。むしろ、何の変哲もないプールに見えるように、あえて個人の手技やセンスの痕跡を取り去っているといったほうがいいでしょう。「この曲線が美しい」といった、従来の美術批評的な言説にとらわれることなく、作品をまるで遊び道具のように楽しんでもらってこそ、彼は本望なのです。

ですから彼の作品は、通常の美術作品に対して行なうような、解釈を掘り下げるということをしたり、距離をとって分析するといった方法を取ると、途端に本質を失い始めます。

レアンドロの作品は、あくまでも作品に直接的に出会うことによって機能します。そこにいて「触れ合い」「感じること」が作品を理解することになるのです。レアンドロの作品は、客観的な存在ではなく、また純粋に理念化された世界でもありません。それは観客と共に「遊び」、「生きられる世界」として存在しているのです。そのひとつである「観客の参加」は、その場で作品を楽しむことだけでは終わりません。思い思いに写真を撮り、まだ体験したことのない友人などに見せて楽しんだりすることも含めて、この作品との関わりであり、参加の表れなのです。

躍進のきっかけとなった出世作

レアンドロは1973年生まれと、本書で紹介するアーティストの中では、最も若い世代に属します。単に年齢的に若いというだけでなく、このような新しいアートのあり方を提示したという意味でも、上の世代のアーティストとは一線を画します。

『スイミング・プール』は、そんな彼にとっての出世作でした。

原形となる試作品は1999年につくられています。世界的にまだ知られていない若い作家が、プールを地下に埋め込むような大規模な作品はつくれません。上部をガラスで覆った水槽をつくり、その表面に水を流すようにしていました。モーターも剥(む)

き出しで、本当に一種の機械のように見える作品でした。

その作品をその後、イタリアで開催される国際美術展で、若きアーティストの登竜門ともいわれるヴェネツィア・ビエンナーレで展示したところ、当時、金沢21世紀美術館の開館準備をしていた長谷川祐子さん（現・金沢21世紀美術館館長）の目に留まったのです。

そして『スイミング・プール』は、まったく新しい思想で建てられた現代美術館を象徴する作品として、制作されることになりました。

金沢21世紀美術館という施設は、芝生に覆われたゆるやかな窪地にあります。基本は1階建てで、入口は地下駐車場からのものも含めると5か所もあります。建物の内部まで外光が入る構造なので、非常にオープンな美術館という印象がもたれます。設計は、西島立衛と妹島和世の建築家ユニットSANAAによるものです。

全体は円形をしていますが、設計の思想としては、巨大な円形の建物をつくってパーティションでいくつかの部屋に区切ったのではなく、逆に床面積や天井までの高さが異なる個々の展示室をひとつの家と見立て、それらが集積した街のようなものとして、全体を組み立てたのです。ですから、全体のスペースがあってそれを分割して展示室をつくったのではなく、ひとつひとつの独立した展示室を寄せ集めて美術館をつくっているということになります。

展示スペースには、恒久展示する作品を置く場所と、企画展を行なう場所があり、それらが混在したかたちで円形の中にレイアウトされています。

観客は場所場所で、作品と、あるいは人々と出会います。

『スイミング・プール』は、そうした架空のアートの街に設けられた、幻のプールのような存在です。完全に施設と一体化しており、その意味では、アートと建築が融合した作品ともいえるでしょう。

レアンドロ自身は、こういっています。

「『スイミング・プール』は僕の扉を開いてくれた作品です。僕にとっての初めての恒久展示で、そこから僕はアーティストとしての国際的なキャリアを歩み出すことができました」

事実、それ以降、彼は毎年のように欧米やアジアで個展を開き、世界各地で開かれるグループ展に参加しています。

レアンドロの躍進を見ていると、日本のアート・シーンが、世界と足並みを揃えて、時には少しリードしながら、進化していることを実感できたものです。

鑑賞者は物語の登場人物に

レアンドロの作家性を知るために、『スイミング・プール』以降に、彼が創作したものを見ていきましょう。

以前のインタビューで、作品の着想をどこから得るのか聞かれたとき、彼は「毎日の経験や、日々の生活で想像したこと、自分の身に起きた出来事など、いろいろな場所から」と答えています。

その言葉通り、作品の多くは、現代人の日常生活を題材にしています。

2014年に金沢21世紀美術館で開催されたレアンドロ・エルリッヒ展から、その作品を紹介すると、『階段』（2005年）では、ビルの螺旋（らせん）階段を90度倒して特殊撮影の一部のような光景を現出させています。

また、日本のデパートを訪れたときに着想したという『エレベーター・ピッチ』（2004年）では、エレベーターの扉が等間隔で開くたびに、満員の乗客や、風船をもった大家族らしき集団、孤独な青年などの映像が次々と現れます。私たちがエレベーターに乗るたびに、「あの家族はどこから来たのだろう？」とちょっとした想像をすることがありますが、そのイメージをより劇的に表したといえるでしょう。

古い植物園のゲージを再現したかのような『見えない庭』（2014年）では、鏡を組み合わせることで、目の前にあるはずの植物が見えない、という不思議な体験を提示しました。

ほとんどの作品に共通するのは、作品の規模が大きく、また鑑賞者が積極的に作品と関わることで、ひとつのアートを体験することになる「参加型」ということです。レアンドロの家族には建築家が多く、彼自身も建築への興味を抱いていました。ただ、本人は「建築を、空間をつくるための規則としてではなく、物語を語るひとつの手法として捉えた」といいます。

その物語の登場人物が、作品を鑑賞に来た人々なのです。鑑賞者を物語の世界に引き込むための仕掛けも欠かせません。それは「騙し絵」的な効果です。『スイミング・プール』でも、プールに水がいっぱい入っているように見えて、実はぽっかりと空間が空いていましたが、その類のちょっとしたトリックです。

コンピュータ・グラフィックスが全盛という時代に、そうしたトリックをとてもアナログ的な手法で実行しているのが、彼の面白いところです。

「今」を肯定的に捉えたハッピーな作品

様々なアイデアを組み合わせて、彼は日常生活にひそむ、些細(ささい)なギャップを狙い、見る人の虚を突いています。

ただ、そこに意地の悪い視点はありません。

トリックはあくまでも作品体験のきっかけで、レアンドロは観客に対して、普段は常識の中に埋没している感覚を解放して、ものごととの新しい出会いの機会をつくり出したいのです。「トリック」によるちょっとした感覚の覚醒によって、新鮮な驚きや出会いが生まれます。

彼の作品は、しばしば上流階級の風俗をユーモラスに描くことはありますが、風刺や皮肉とは無縁です。

現代の生活を、驚くほど肯定的に捉えているのです。冒頭で、『スイミング・プール』の周りでは、いつも笑い声が聞こえると書きましたが、彼の作品に接すると、本当に誰もがハッピーな気分になります。

実は同じような世界観をもったアートが、過去にもありました。19世紀後半のフランスで生まれた、印象派の絵画です。

印象派が画期的だったのは、絵の具によって「光を捉える」という技法的な側面ばかりではありません。それ以前はさほど絵画の主題とならなかった、「市民生活の豊かさ」を取り上げたところにありました。西洋の伝統的な考え方では、宗教や歴史に関係した物語を描くのが絵画の役目とされていましたから、「普通の人々」の「普通の暮らし」を絵にする印象派の出現は革命的でした。

しかも印象派の画家たちは、当時のブルジョアが体験する近代的な暮らしを、ほぼ無条件に賛美します。ピアノを弾く娘、家族や友人同士で行くピクニック、郊外での船遊びなど、日常の幸せを、明るい色彩によって晴れやかに描きました。

それはフランス以外でも、近代文明の恩恵を受け入れた国に住む人なら、誰でも理解できる光景でした。それゆえに印象派は世界中で人気となり、今日に至るまで多くの人々に愛好されてきたのです。

レアンドロの作品も同じような意味で共感を生むのです。

彼がつくるものは、どこまでも楽観的です。現代を生きるものの苦悩は微塵(みじん)も感じさせませんし、風土や宗教といった問題にもいっさい触れません。

見る者誰もを気持ちよくする。それがレアンドロの作品の一番いいところです。

トリックを楽しみ、対話の場にする

レアンドロの作品が、あまりにも軽やかに楽しめるので、時には「浅薄なアートだ」と批判されることもあります。

これに対して、彼自身は、「理解しにくいものが、哲学的とは限らないし、理解しやすいからといって、必ずしも哲学的でないとはいえない。真面目(まじめ)なアートだからといって、神格化することはないんだ」と反論しています。

実際のところ、子供にでも親しめるところが、彼の作品の真骨頂でしょう。

金沢21世紀美術館では、近隣の子供たちを招いて、アート体験ができるワークショップを年に何度か開いています。

そのたびに、子供たちは『スイミング・プール』の面白さに飛びつき、心行くまで楽しんでいます。その姿を見ていると、レアンドロの作品には、何段階もの楽しみ方があるのに気づきます。まず最初の体験者が、仕掛けに驚き、翻弄(ほんろう)されます。続いてその体験を人に話す楽しみがあり、さらに話を聞いた人が作品に接して驚くのを見て喜ぶ、という楽しみがあります。

他の作品でも、同様です。

レアンドロの作品は、まず先入観にとらわれない子供が、その面白さに気づき、素直に楽しみます。大人から見れば単純なトリックですが、子供たちもそれはわかっています。それでも子供たちは熱中します。

皆さんは、子供時代に「ごっこ」遊びをしたと思います。「ごっこ」遊びとはつまり、いろいろなものを「見立て」て、即席で仮想空間をつくり出すことです。子供たちの反応を見ているとまるで「ごっこ」遊びをしているように、その場で起きることを無邪気に楽しんでいます。

子供たちは、すでに「それではないものだ」ということを知っているのですが、みんなで「それである」というふうに振る舞います。そのことでその場に共有できるイメージが立ち上がります。

ここでの子供たちの行為は、存在論的にいえば、その場所へと自己を「投企（とうき）」する、「投げ込む」という行為になります。難しい言い方ですが、要は自分を嘘（うそ）の空間（普通の人の立場からすれば）に置く、ということです。レアンドロのプールは誰から見ても偽物です。ですが、その偽物の場を活（い）かすことで、他者との新しい対話の場、関係の場をつくり上げていきます。

大人たちは、子供たちの反応を真似（まね）て、ようやく作品の魅力に気づくのです。

もっとも『スイミング・プール』に限れば、設置された場所が日本であったことは大きかったかもしれません。

彼の作品は、市民生活を題材にしているといいましたが、このような四角いプールは、欧米では富裕層の邸宅にしかないものです。一般の人はフィットネスクラブなどに行かないかぎり、なかなか実生活で見ることはないでしょう。

ところが日本では、どこの小中学校にも当たり前のように、授業でみんなが使う水泳用のプールがあります。これは実は日本に特徴的なことで、欧米ではプールを設置している学校は、きわめて稀なのです。

それだけに日本の子供たちは、『スイミング・プール』の面白さに即座に気づけたのでしょう。幼少時から、プールサイドに座って泳ぐ人を応援したり、水中から空を見上げた体験を積み重ねているので、作品の面白さを共有できたのです。

誰にも開かれているオープンな作品ですが、日本社会の特殊性ゆえに、作者が想定した以上の大衆性を獲得したのかもしれません。

忘れてならないのは、それもまた、レアンドロの作品が鑑賞者の行動や考えを縛らず、見る人の想像力を刺激する仕掛けに満ち、コミュニケーションを誘発したからだということです。

レアンドロ・エルリッヒ

Leandro Erlich

(1973-)

アルゼンチン・ブエノスアイレス生まれ。
2000年、ニューヨークのホイットニー・ビエンナーレでデビュー。2001年のヴェネツィア・ビエンナーレに出展した『プール』で注目を集め、これをもとに制作された金沢21世紀美術館の『スイミング・プール』は、2004年開館以来の人気を誇る。日本では、大地の芸術祭越後妻有アートトリエンナーレ(2006年)、瀬戸内国際芸術祭(2010年)などでも作品を発表。

金沢21世紀美術館

◆所在地　石川県 金沢市 広坂1-2-1
TEL 076-220-2800

◆開館時間　展覧会ゾーン／10:00～18:00
(金・土曜日は20:00まで)
交流ゾーン／9:00～22:00

◆休館日　展覧会ゾーン／月曜日(月曜が祝日の場合は翌平日)
年末年始
交流ゾーン／年末年始

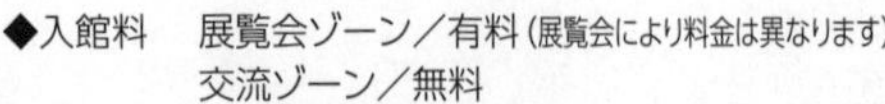

◆入館料　展覧会ゾーン／有料(展覧会により料金は異なります)
交流ゾーン／無料

◆アクセス　北陸新幹線・金沢駅バスターミナル東口3番・7番乗り場より路線バスで「広坂・21世紀美術館」下車すぐ

※交流ゾーンには、ジェームズ・タレル『ブルー・プラネット・スカイ』(P139～)が含まれます。

◎営業時間・入館方法等が変更になる場合があります。お出かけ前に各施設のWebサイト等で最新情報をご確認ください(上のQRコードから各施設のサイトに入れます)。

Art 7

光そのものを主役にする

ジェームズ・タレル James Turrell

『ブルー・プラネット・スカイ』

●金沢21世紀美術館／石川県・金沢市

『オープン・スカイ』

●地中美術館／香川県・直島

光が主役のアート

アメリカの芸術家ジェームズ・タレルほど、「光のアーティスト」と呼ぶのにふさわしい人はいないでしょう。彼は、人間の光の知覚の仕方に着目し、光そのものをアートにした人です。

光は常に美術において、とりわけ西洋の絵画において重要な役割を演じてきました。様々な時代の趣向に合わせて絵の主題は変化してきましたが、それを常に照らし出してきたのが光です。主題がどのように変転していったとしても、それを照らし出す光は常に絵画の中に存在してきました。光は絵画を支える基盤のような存在です。

タレルは、光の、絵画における普遍的な地位に着目して、光を主役にしました。

普通、画家は主題を語るための題材を選び、それを中心に据えて絵画をつくり上げていきます。なぜならば描かれる主題こそ大事だと考えるからです。しかし、タレルは、描かれるべき主題を取り去り、光の効果そのものを全面化してしまいました。そうして光だけを問題にするのです。

タレルの光の解釈は、科学的であると同時に精神的なものです。視覚心理学と哲学が合体したようなものです。ちなみにタレルは、数学、地理学、天文学なども学んだという経歴の持ち主です。

『ブルー・プラネット・スカイ』をはじめとした光の作品群は、そういった背景のもとに生まれました。

クライマックスは日没前30分から

金沢21世紀美術館の恒久展示作品『ブルー・プラネット・スカイ』は、日本に3つある同型の作品の中では一番大型です。「スカイ・スペース」と呼ばれるシリーズのもので、天井の開口部から自然光を取り入れて光の効果を見せます。開口部の形と色彩の変化の仕方にいくつかのバリエーションのあるシリーズです。

「タレルの部屋」と呼ばれる金沢21世紀美術館の『ブルー・プラネット・スカイ』は、最も初期型で、ブルーから濃青、黒へと空の色が変化する基本的な形式の作品です。

白い壁面の立方体を思わせる空間で、床は11メートル四方の正方形、天井までの高さは8・5メートル。天井には5・6メートル四方の正方形の開口部があります。部屋はいたってシンプルなデザインで、壁に沿って石造りのベンチが設けられているので、そこに座って空を見上げるのが基本的な鑑賞ポーズです。開口部の向こうに見えるのは四角く切り取られた空で、晴れた日なら青空が、曇りの日なら流れゆく雲が見られるでしょう。時には鳥も通り過ぎます。それだけでも十分のどかな気持ちになれます。

しかし、この作品は、「空もまたアートの一部」と実感させるためのものではありません。その鑑賞法がけっして間違いというわけではないのですが、それはあくまでも普段の姿で、作品のクライマックスは日没前30分から始まる時間帯です。

空が暗くなり始めると、それに合わせて、椅子の背後に仕込まれた少し黄色みがかった照明がゆっくりと明るさを増していきます。それはとても微妙な変化なのですが、陽が沈み、空が暗転していくのに対応して、照度が上がっていくのです。すると、相反する色が互いに引き立て合う「補色効果」によって、天井の開口部から見える空の青がより鮮明に見えるのです。同時にそれまで見えていた雲や空の青さのグラデーションも消えて、絵のような平らな面になっていきます。その変化は、明るい青から濃い青へと継ぎ目のない階調を呈しながら、ゆっくりと変化し、最後は漆黒になります。途中で見られる純度の高いウルトラマリン・ブルーは、身震いするほどに美しいものです。

しかもなぜだか天井までの距離が近く感じられて、光のドラマに手が届くくらい、すぐ目の前で起きているように見えるのです。その秘密は、開口部のつくり方と照度

ジェームズ・タレル『ブルー・プラネット・スカイ』　2004年　金沢21世紀美術館蔵
部屋の壁の周囲に腰をかけて天井に枠どられた刻々変化する空を見上げる
撮影：中道淳／ナカサアンドパートナーズ　写真提供：金沢21世紀美術館

調整にあります。縁の部分を鋭角的に尖らせていて、普通の窓枠のような厚みがまったくないのです。人の目は不思議なもので、奥行きを判断するものがないと、物を立体視する機能が正常に働かず、空の遠さを感じ取ることができなくなるのです。それに外が暗くなるときに部屋を明るくするので、開口部の空と室内の明暗のコントラストが鮮明に出て、空は視覚上、同一明度の面になります。それらのおかげで、手の届きそうな距離になり、かつ、開口部がまるで均質な階調の一枚の抽象画のようになるのです。

ひとつの均質な色面が、時間を追って徐々に、淡い青からより鮮明な青へと変化し、色の濃度を増していきます。

暖色系の室内灯と空の青との補色関係を利用して青を強調しているのと同時に、暗くなると波長の短い青がよく見えてくるという目の機能を活かし、青の色がより濃く見えるようになっているのです。

前述しましたが、闇に落ちる一歩手前のウルトラマリン・ブルーは実に美しく、まさに深いブルーの粒子が無数に飛び交うように見えます。

私たちがタレルの作品によって体験する、このような錯覚は、カメラでは起きません。あくまでも人間の知覚のメカニズムの中で起きる出来事なのです。ですからタレルの作品で我々の視覚上に起きる不思議な変化は、写真には現れないのです。

照明はコンピュータによって制御されています、あらかじめ金沢市の1年分の日没時間をデータとして記録させていますから、いつでも日が暮れ始めると作動します。

作品は無料で鑑賞できる「交流ゾーン」に設置されています。この部分のオープン時間は9～22時なので、日が長い夏至の頃でも、日没時にこの部屋にいられます。

ぜひ時間を調整して、作品の醍醐味を味わってほしいものです。

「内なる光」と臨死体験

このような作品をつくってしまうタレルという人は、異様なまでに光へ関心を寄せているアーティストです。それは、彼の生い立ちと無縁ではありません。

彼は、ロサンゼルスの、キリスト教の中でもクエーカーという一派を熱心に信奉する家に生まれました。本人は「家族は熱心な信者だが自分は違う」と笑っていいます。クエーカーは、教会の権威化に反対し、絶対的な平等と平和を希求します。その暮らしぶりは、質素で飾り気のないものといいます。そして大きな特徴が、真理は自分の中にあるという考えをもっていることで、それを「内なる光」と呼んでいます。彼らにとって祈りとは、深く瞑想し、「内なる光」に出会うことを意味しています。また偶像や象徴をいっさい認めないので、彼らは十字架を身に着けず、また教会はミーティングハウスと呼ばれ、聖像も祭壇もいっさい置かれず、きわめて簡素な空間があるのみです（タレルはクエーカー教徒のための「スカイ・スペース」を天井に備えたミーティングハウスを設計しています）。

一方、タレルの父は飛行機の操縦ができる航空技師で、タレル自身も16歳の頃から飛行の訓練を始めました。飛行中に眺めた空や、地球が夜の闇に溶け込んでいく様などは、その後の彼に大いなるインスピレーションを与えています。

当時チベットでは、中国の侵攻によって大規模な宗教弾圧が行なわれていました。タレルは18歳で家を出て、ラマ教徒を飛行機で救うミッションに従事します。ところが操縦していた飛行機が2度も撃墜され、瀕死の重傷を2回も負うことになります。その際、いわゆる「臨死体験」をして、光に導かれるまま前に進んだ結果、蘇生できたというのです。

こうした体験の積み重ねが、タレルの光への執着に結び付いたことは、想像に難くありません。

回復後はカリフォルニアの大学に入りますが、あまりにも激烈な体験をしたので、社会復帰できないのではないかと不安を覚えたそうです。チベットの現実と平和なアメリカの光景との落差にタレルは苦しみます。

当初は数学を専攻しますが、他に、知覚心理学、天文学、美術史などを学び、やがて創作へ関心を抱くようになりました。

タレルの作家活動は、1966年に始まります。最初の作品は、暗い室内にプロジェクターからの投光によって幾何学的な図形を描くもので、光が立体的に見える錯覚を起こす作品です。「プロジェクション・ピース」と呼ばれます。

当時のアメリカ西海岸は、ドラッグで生じる幻覚を映像や音楽で表現するサイケデリック・ブームが湧き起こっていました。その波にも乗って、タレルの活動は注目を浴びていきます。

彼は南カリフォルニアで起こった「ライト・アンド・スペース・ムーブメント（光と空間の芸術運動）」の中心人物でもありました。同時期にニューヨークで起こっていたミニマリズム、ランドアートとも関連をもちつつ、独自の道を切り開いていきます。

ミニマリズムは、色、形、形式などの美術的な要素を極限まで切り詰める美術。またランドアートは、主にアメリカの大地を舞台に繰り広げる巨大な屋外のアート作品です。

タレルは、ライフワークとしてアリゾナ州のフラッグスタッフという場所で「ローデン・クレーター」というアート・プロジェクトを40年以上にわたって継続しています。

人間の網膜上で完成する作品

タレルには、2つの代表的なシリーズがあります。彼の作品のほとんどは、この2つを展開しながらできあがっているといっても過言ではありません。

ひとつは壁に横長の長方形の光のスクリーンをつくる「アパチャー」シリーズです。「アパチャー」は、開口部という意味。壁には長方形の穴が開いていて、その奥に空間が広がっています。光のスクリーンといいましたが、本当は開口部の向こうに広がる光の空間を見ている作品です。

もうひとつは、天井に四角い穴を開けて自然光を取り入れ、そこに人工の照明を当てて、光の体験を現出させる「スカイ・スペース」シリーズです。金沢21世紀美術館の『ブルー・プラネット・スカイ』は、こちらのタイプに分類されます。

いずれの場合も人の視覚に直接作用するのが特徴で、作品が完成するのは人間の網膜上になります。この点が、タレルの作品と、それ以前のアートとの大きな違いでしょう。

視覚に直接作用するので、「体験」してみないとわかりません。

それに同じ作品を体験しても、人によって異なる様相の作品が出現してしまうことさえ起こりうるのです。なぜかといえば、タレルの作品は視覚のメカニズム上で起こる錯覚を利用しているので、それがうまく作用した人とそうでなかった人で見え方が違うのです。これは単に「あの人と私で少々違って見えるね」と気楽にいえるような誤差ではありません。錯覚して見えている当人にはそのようにしか認識しようがないのですから、そう見えない人がいるとわかったときは驚きます。

例えば、『ブルー・プラネット・スカイ』を見ているとします。プログラムが作動し、時間が経つうちに、三次元の空が二次元の平らな面になってきました。大体の人がこのように見えるのですが、いまだに空の奥行きを感じている人もいます。他の人との認識のズレは案外起きるのです。そのうちに、自分でも錯覚なのか、本当の光なのか、わからなくなります。

妥協のない精密さがもたらす錯覚の世界

私は以前、彼と組んで、本章でも紹介している香川県の直島にいくつかの作品を設置しました。

最初は、家プロジェクトの「南寺（みなみでら）」に設けた『バックサイド・オブ・ザ・ムーン』です。「アパチャー」シリーズの系譜に入る作品ですが、室内の明度を極限まで下げ、ほとんど暗闇に近いところで光を認識するというのが、この作品の特色です。部屋に入った後も、目が慣れるまでの、だいたい15分から20分くらいは何も見えません。やがて不意に光のスクリーンが出現してくるという、不思議な体験の作品です。見えてくる時間が人によってまちまちなのです。視力の問題だけでなく、認識の問題でもあります。見えているものを認識できるかどうかです。想像力のある人の中には、逆に自分で光をつくり出して見ている人もいます。錯覚や錯誤の問題ですが、タレルは作品づくりに巧みにこれらを利用します。

最初の作品をどうにか完成させたのち、さらに直島の地中美術館に3つの作品を導入しました。先ほど紹介した初期の「プロジェクション・ピース」。それに「アパチャー」系を進化させて、光の満たされた空間に入り込めるようにした『オープン・フィールド』と、「スカイ・スペース」シリーズの『オープン・スカイ』です。

『オープン・スカイ』は、金沢21世紀美術館の作品とほぼ同時期につくられたものです。金沢の作品が太陽の移動を尊重し、ゆったりと空の色が変化するのに対し、直島の作品では人工照明がより積極的に作品に関与します。壁に埋め込まれたＬＥＤが、コンピュータの制御で光の強度や色相を目まぐるしく変化させます。それに伴い、天井の開口部から見える空は、白からピンク、青、紫になったと思うと、その後にいきなりブラックアウトといったように、間断なく色を変化させているように感じられるのです。

自然との感応の時間を作品にした初期型の「スカイ・スペース」に比べ、サイケデリックな色彩変化を楽しむ近作では、よりエンターテイメント的な要素が強くなっています。

日中も鑑賞できる空間ですが、めくるめくような光のアートを体験できるのは、日没時に開催されるナイトプログラムだけです。直島での滞在時間が長くなりますが、時間のやりくりをするだけの価値はあります。

『オープン・スカイ』の間断のない色の変化も、まさに錯覚で、様々な色を自分で見ているにすぎません。このように人の感覚に訴えるタレルの作品は、ひとつの実験装置といっていいもので、精密さが要求されます。

制作の過程で、タレルが要求した精度は、とてつもなく高いものでした。タレルから送られてきた図面通りにつくったつもりでも、チェックに訪れた彼は即座に「不合格」と判断しました。

まずは調光の問題。彼の視覚は人並みはずれて光に敏感なので、既成の調光器で明暗を操作すると、大雑把すぎて話にならないというのです。そのため特注品をメーカーにつくってもらいました。

開口部のエッジの鋭さについても、タレルは容赦しません。何度もつくり直しました。

美術館を運営する側としては、公共の場に置かれるものですから、不測の事態に備えて、少しまろやかにしたいものです。しかしタレルに妥協はありません。「技術的に難しい」「予算的に時間と手間をかけられない」といった泣き言をいっても、当たり前の話ですが、通用しません。つくりに甘さがあれば、自分の作品とは認めず、未完成のままでも、プロジェクトを中止するだけでしょう。

着工から40年以上、いまだ制作中の壮大なプロジェクト

タレルの最大のライフワークについても触れておきましょう。

アメリカの大地を舞台にしたランドアート系の作品ですから、日本で体験することはできませんが、いつの日にかのために知っておくのも悪くないと思います。

そのプロジェクトは、アリゾナ州の北部、標高2500メートルほどの高地にある

「ローデン・クレーター」という、活動を止めた火山を利用しています。その名も、「ローデン・クレーター・プロジェクト」。

1970年代、タレルは空の果てしない広がりを体験できる場所を探します。カナダ国境からメキシコ国境まで何度も飛行し、ついになだらかな稜線をもち、直径約300メートルのほぼ円形の火口がある、この場所を発見しました。タレルの壮大な計画は、土地の保有者と交渉して山を取得するところから始まりました。実際の建設作業に入ったのは1979年からで、以来、現在までプロジェクトは継続しています。

タレルはまずクレーターの縁に盛土を施して、火口を完全な円形にしました。何ものにも邪魔されない空を手に入れるためで、将来的には宇宙と地球がつくり出す壮大な光景を鑑賞できるよう施設がつくられるものと思われます。

さらにクレーターの側面から、数百メートルにわたるトンネルを掘り、異なった光の体験ができる地下室を20部屋つくります。まさにSF映画に出てくる地下基地を実現してしまったような施設です。地下室の形は、卵形、台形、矩形、扇形など、様々です。

部屋によって装備が違い、ある部屋ではピンホール・カメラの原理を利用して、天空いっぱいの星が床に映し出されます。

その他、タレルの光学系の作品を鑑賞できる空間があります。将来的には宿泊設備や資料館も完備した施設になるとのことですが、着工から40年以上経った今日も、完成の目途が立っていません。ランドアート系の作品としては最大の規模です。何千年もかけて地球に届く天体の輝きまで取り込むという意味では、悠久の時間をもアートに昇華させようという試みといえます。

自然と調和する日本のタレル作品

クレーターほど大規模なものではありませんが、日本にも周囲の環境と調和した空間で、タレルの作品を体験できる施設があります。

小説家・谷崎潤一郎が日本文化の特徴を論じた『陰翳礼讃（いんえいらいさん）』から着想を得たという、新潟県十日町市の『光の館』です。野外芸術祭として人気が定着した「越後妻有（つまあり）アートトリエンナーレ」が、2000年に開かれたときにつくられたもので、その後も恒久的に設置されています。来訪者は、周囲の森の緑を眺めたり、光のアートを楽しんだりと、自由に時間を過ごせます。畳敷きの和室に寝転んで、「スカイ・スペース」の光の変化を堪能できるのも、ここならではの面白さです。宿泊が可能です。

タレルは、まるで科学者か、技術者のように作品をつくります。極めて合理的で、近代的なものの考え方をする人です。アメリカ的楽観主義者で、未来を信じ、夢を語ります。タレルと一緒にいると、ローデン・クレーターへの飽くなき探究心や、何が起きてもプロジェクトを実現しようとする強い意志を感じます。

その不屈の心は、アメリカ的なフロンティア精神から生まれてくるのではないかと思います。その証拠にローデン・クレーター・プロジェクトを実施するために購入した土地には、牧場の経営も条件として付けられていたのですが、そこで暮らすタレルは、嬉々としてそれを受け入れ、革のブーツ、ジーンズ、カウボーイハットの出立ちで、フロンティア時代の西部の男そのままの生活を送っているからです。

こういうタレルが本来のタレルだとすると、日本での作品はずいぶんと日本化した考えによってつくられたように思います。それらは1990年代から2004年までの間に制作されたもので、タレルが日本に足繁く通い、日本に深い理解を示していた時期のものです。

自然科学や建築の知識を総動員して、きわめて人工的につくられたタレルの作品なのですが、日本にある作品は、やはり日本に傾倒して日本の自然観を意識した、美しいものです。

ジェームズ・タレル

James Turrell

(1943-)

アメリカ・ロサンゼルス生まれ。

知覚心理学、数学、天文学などの自然科学と美術史を学び、アメリカ航空宇宙局（NASA）航空研究所勤務を経て、1973年にクレアモント大学院大学芸術修士号を取得。1960年代後半から光を使った作品を制作し始め、以後一貫して光を素材にしたアートをつくり続けている。1979年、ローデン・クレーター・プロジェクト着工（継続中）。アリゾナ州フラッグスタッフ在住。

◆第6章・P138参照 **金沢21世紀美術館**

地中美術館

『オープン・スカイ』ナイトプログラム（完全予約制）

◆開催日　毎週金曜日・土曜日（雨天決行）

◆時　間　日没時・約80分（開始時間は時期により変わります）

◆定　員　35名

◆参加費　鑑賞料2,100円+ナイトプログラム参加費1,000円
15歳以下はナイトプログラム参加費のみ。
当日、ナイトプログラムのみを鑑賞した場合、この鑑賞料で翌日の通常鑑賞が可能です。

◆申し込み　予約受付Webサイト
http://www.yoyaku-chichu.jp/j/

◆問い合わせ　TEL 087-892-3755（地中美術館受付）

※通常の鑑賞については第9章・P200参照

◎営業時間・入館方法等が変更になる場合があります。お出かけ前に各施設のWebサイト等で最新情報をご確認ください（上のQRコードから各施設のサイトに入れます）。

Art 8

風になる。光になる。水になる。ということ

内藤　礼

Rei Naito

『母型』●豊島美術館／香川県・豊島

『このことを』●家プロジェクト「きんざ」／香川県・直島

つくらないこと、つくれないもの

内藤礼は、これまでのアートがあまり取り上げてこなかったものをアートとして取り上げたアーティストです。それは、小さい、細々とした、儚いものたちです。こういった何気ないものたちに注目して作品にしてきました。

もうひとつ特徴的な点は、「つくらない」ということです。どうしても手を入れる必要のあるときでも最小限度に留めます。そして「見ること」に力を注ぎます。なぜなら、つくることは見ることから始まるからです。

また自分がつくれないものを扱います。空気、水、空、風は自然現象ですから誰かがつくったものではないですが、それを作品にします。「えっ、作品にしますって、ただ、自然を一要素として取り込んだだけではないの?」と思うでしょう。でもそうではなく、風を見せ、光を見せ、水を見せ、土を見せる、それらが主役の世界をつくるのです。

そして何よりの内藤の作品の特徴は、静かだということです。静けさの中にそれら全てがあるのです。

ネット、テレビ、雑誌から溢れる日常はどれも派手で劇的な事件の連続です。こういうものに日々囲まれて暮らしている私たちは、どこかで、事件の連続が日常であり、それを日々消費することが生きることだと勘違いをし始めます。生きることとはもっと密(ひそ)やかな日々の営みの中にあります。内藤はそういう静かな日常の時間の流れの中から、言葉になりきらない美しいものを取り上げようとします。

それは内藤礼というひとりの女性の感性でありながら、同時にそれを超えた多くの女性の感覚を代表するものでもあるでしょう。内藤礼の『母型』と『このことを』という作品を多くの女性が訪れます。それはまるで、生き方を確かめようとする女性たちの聖地巡礼のようでもあります。

作品と一体化した美術館

内藤の代表作が常設され見ることができる場所は、日本の瀬戸内に2か所あります。ひとつは豊島(てしま)、もうひとつは直島(なおしま)です。隣同士にあり、共に現代アートの島です。そこにそれぞれ内藤の作品はあります。豊島には豊島美術館の『母型』があり、直島には古い民家を改修した「きんざ」という家に『このことを』という作品があります。

まずは豊島から。豊島は、緑豊かで湧(わ)き水もあり、稲作や野菜づくりが盛んな島です。島の小高い丘の中腹には棚田が広がっています。その先には穏やかな瀬戸内海が見えます。

豊島美術館は、かなり特別な形態をしているのですぐにわかると思いますが、緑の中のコンクリート製の白っぽい建物です。譬えると、キノコの傘とか、アワビのような形です。シェル構造というのでしょう。傘が目いっぱい開いたマッシュルームにも思えますが、ちょうど水滴が垂れて落ちたときにできた形態が建築上のイメージです。水滴が崩れる前の表面張力で形を保っている状態と思ってもらえるとかなり正確です。楕円状の不定形で一か所が崩れて外に延び、そこが入口になっています。

建物の最大径は60メートル、大きな空間ですが、地上で目の前にしてもそれほど威圧感はありません。たぶん高さが4メートルほどだということと、形が曲線でできていて丸い感じがするからでしょう。

設計したのは、西沢立衛という建築家です。十和田市現代美術館、軽井沢千住博美術館なども手がけています。また妹島和世とのコンビで設計する仕事も多く、金沢21世紀美術館、ルーブル美術館ランス別館、ニューヨークのニューミュージアム・オブ・コンテンポラリー・アートなど、数多くの美術館建築を手がけ、海外からも高く評価されている建築家です。

豊島美術館は、もともと直島の地中美術館の続編として構想された美術館で、私も

豊島美術館　写真：鈴木研一
Teshima Art Museum Photo : Ken'ichi Suzuki

地中美術館の館長時代、基本構想に携わりました。その後は、地中美術館から一緒に仕事をしてきた徳田佳世さん（ウォーター・アンド・アート代表）が引き継ぎ、5年ほどかけて完成に至っています。

空間概念の特徴は、地中美術館と対比的につくられています。地中美術館は名前が示すように、地下で展開するアートスペースです。地下にあることを建築的にもアート的にも最大限に活かして設計されています。地下独特の閉じた世界、ダイナミックに変化する闇と光。これに対して、豊島美術館が目指したのは地上の世界です。地中美術館に対して地上美術館と仮称で呼んでいた時期があるほどで、地上に立ったときに見える無限遠を室内につくり出すために、このような形になりました。

地平線が360度見えるということは現実にはほとんどありえない状態でしょうが、無限の広がりを感じる場所を人工的につくり出すことはできないかと構想し、生まれたのが豊島美術館の内部空間です。建物の中へ入ると、ゆるやかなアーチ状の天井面と床があります。あまり床の際（きわ）のところには目が行かないかもしれませんが、床と天井の接点の処理は極めてユニークで、手前から見ると奥へと鋭角的に入り込んで接していています。これは概念的な試みですが、地平線を象徴しています。計画当初に考え抜いた結果、思いついた重要な空間上のコンセプトでした。そして、柱がなく、視界が邪魔されず、遠くへ視点が伸びていく空間が生まれました。外形のデザインからアイデアが始まったように思われがちですが、それは結果の産物でした。

それに、ここが一番重要な点なのですが、この美術館が、ただひとつの美術作品を展示している場所だということです。それはもちろん内藤礼の作品のためのオリジナルのスペースということになりますが、そのような場所は世界中を探してもそう簡単に見つけることはできないでしょう。

作品のために建築があるというだけあって、建築とアートは一体化しています。どこからが建築で、どこからがアートかという境目を見つけることは困難です。ふたつがひとつとなり、特別な場所をこしらえています。音楽に譬えると二重奏のようなものでしょうか。ふたつの楽器がひとつの曲を奏で美しい音の調和をつくり出すように、建築とアートがひとつになり美しい場所をつくり上げています。

白く、小さく、弱々しいものたち

内藤の作品『母型』の話です。まさに森羅万象が現れてくるおおもとという意味で使っているのでしょう。英語名は『マトリックス』です。ラテン語の本来の意味は子宮ですから「生み出すもの」を意味します。内藤は「(ものを生み出す) 母体、基盤、発生源」といった意味で『母型』と名付けたのでしょう。

床に立ってみましょう。天井に大胆に開いた大きな2つの開口部から風や光を感じます。鳥のさえずりも雲の流れも緑の揺らぎも、案外全部感じることができ、見ることができます。2か所の開口部のところには、天井から長く細いリボンがゆったりした弧を描いて垂れています。ゆったり動いているので、微風を感じることができます。厚い大きなコンクリート膜の空間にいるけれども、2か所の開口部が大きいので外とのつながりをいつも感じることができます。ここは中だけれども外でもあるような場所です。

足下は同じくコンクリートの床で、ほとんど気がつかない程度のゆるやかな起伏がついています。そこに無数の小さな穴が開いていて、水が滲み出してきます。ひとつ、またひとつと湧き上がってきて、まるで生き物が生まれてくるようです。小さな一滴の水は移動を繰り返しながら、前にあるものとくっついたり、離れたりして、やがてあちらこちらに塊をつくり始めます。次の水滴がやってくると、また変化を始め、不安定に移動を繰り返していきます。止まることなく水滴が流れてきては、水溜まりに加わっていき、あるものはその反動で別のところへと移動し、いつまで経っても水は一か所に定まることはありません。広い範囲に散らばり、変化し、動いていきながら、

内藤礼『母型』 2010年 豊島美術館 写真：森川 昇
Rei Naito：Matrix,2010 Teshima Art Museum Photo：Noboru Morikawa

内藤礼『母型』 2010年 豊島美術館 写真：森川 昇
Rei Naito：Matrix,2010 Teshima Art Museum Photo：Noboru Morikawa

やがて大きな水溜まりになっていきます。

改めて内藤のセッティングしたものを眺めてみましょう。そんなに多くはありません。天井から吊るされた長い白いリボン。2つの開口部にそれぞれU字型にゆったりとした形で吊るされています。観客に外の風景やそこから入る風を認識してもらい、その時々の天候や季節を感じてもらうためです。その他、赤・金・銀の糸とビーズも天井から吊るされています。どれも繊細なものです。

床には小さな白い石の玉がいくつかあり、小さな白い石の円盤もあります。これらは内藤の作品によく登場するものたちです。それぞれ意味がありそうですが、内藤ははっきりとは語っていません。

ただ、これらは内藤が思う〈存在〉について述べたものと見ることができるでしょう。ちょっと抽象的ですが、これらは、白く、小さく、弱々しいものたちです。これらは目立ちません。何かに埋没し見過ごされそうな細やかなものです。大げさでもセンセーショナルでもドラマチックでもないものたちです。しかし内藤は、普通にものが在るということはこういうことだと感じています。静かにそこにあるのです。名もないものへのシンパシーが感じられます。

さて、この作品で一番大きなものを後回しにしていました。これから語るものが

『母型』の一番重要なところであり、主題でもあります。それは作品の大半を占める水です。

水を感じ、水を思う

水についての一般的なイメージを拾ってみましょう。水は、私たち人間にとって身近な液体で、基本的な物質です。生命を維持していくためにも必要なものです。人間は様々な分野で水と関わり、語ってきました。神話、文学、芸術の世界から、科学、政治、経済、産業まで。精神面だけでなく、実社会においても大きな存在です。

古くは、ギリシャ哲学の四大元素、インドでは五大、中国では五行の中で、水は世界を構成する基本要素とされ、今日でも象徴的に世界を語る際の重要なキーワードです。自然災害の多い日本において、水は恵みであると同時に恐れの対象でもありました。龍は荒ぶる水の化身ですが、天、地、水、と縦横無尽に巡り、何にでも姿を変える、流転する自然の象徴として描かれてきました。また平時の水は、穏やかさ、清らかさ、平和の象徴であり、母のように生命を生み出す源としても描かれます。日々私たちの喉を潤す水や、そぼ降る雨も水ならば、地球を取り巻く海も水です。このように水は様々なものになり、大きさを変え、ひとつの形に留（とど）まらないものの象徴として存在します。とにかく複雑で多様、一筋縄ではいかない、我々を司るような存在でもあります。

さて、いろいろと水のイメージを書き出しましたが、それを背景にして内藤の作品の水を眺めてみましょう。

とてもゆっくりと静かに流れる水です。荒れ狂う野蛮な水ではありません。ゆっくりと時間をかけ流れていく。それらはひとつとして同じ経路を辿らない、同じ形にならない。あまりに水がゆっくりと動くので、それらをジッと見ていると、そこには空が映り込み、人が映り込んでいるのに気がつきました。それにあまりに静かなので、先ほど述べたような水のイメージがいろいろ頭に浮かんでは消えていきます。見えるものと頭に浮かぶものが交差していき、やがて融け合っていきます。空想したのは私ですが、そのきっかけをつくったのは内藤の水のようです。

私たちは確かに水を見て水を感じ、水についてここで考えています。そのとき私たちは水になっています。

土の静けさに、〝与えられているもの〟の豊かさを知る

『母型』が水についての作品であるとすると、『このことを』は土についての作品と

いえます。『母型』は2010年に完成しましたが、その9年前に隣の直島で内藤は初めて、長く残るパーマネント作品をつくりました。古い民家を基にしてつくった家型の作品です。屋号が「きんざ」、作品名が『このことを』といいます。古い地区なので家には屋号が付いています。

『このことを』の外観は、島に残る築100年を超える民家を改修してつくったものです。『母型』は、西沢立衛のコンクリート製の現代建築なので、ずいぶんと異なった印象を受けるかもしれません。それに『このことを』があるのは古い集落ですが、『母型』は自然の中です。2つを比べると、外観、環境がずいぶん違います。

『母型』は、今とか未来、あるいは自然について、『このことを』は、過去あるいは人が暮らす場所について、関係しているように思うかもしれませんが、実際は、単なる時間と場所の入口の違いだけで、本質的にはそう大きな隔たりがあるわけではありません。むしろ背後では多くのものを共有しています。築100年を超える古民家とコンクリート製の現代建築は内藤の中で同時に存在し、自然も人も同時にあるのです。

さて、『このことを』に話を戻します。外観は直島で普通に見られる古民家で、窓はなく、明かり採りは足下の15センチほどのスリットだけです。中に入ると、いきなり地面が剝き出しになっていて、全面が土です。畳も板間もありません。納屋のように土間だけです。15センチのスリットから光が差し込むだけで、昼でも明るくはなりません。目が慣れるまではよく見えないぐらいです。特徴的なのはほぼ中央を占めるように置かれた白い石の円盤です。白さが土の黒さ、濃さを際立たせ、重さや存在感を強調しています。他には細々としたガラス、糸、石などが几帳面にシンメトリックに置かれています。

じっと目を凝らして周りを見ているうちに、徐々に点々と物が見え始めます。暗いといっても１００％の闇ではないので、闇の深さという言い方は奇妙ですが、闇にも階調があり、やや和らいだ闇の中でいろいろな小さなものが見えてきます。『母型』と同様、ここでも時間をかけて見ることになります。『母型』ではゆっくり湧き出てくる水によって、『このことを』では少ない光量によって、時間をかけて見ることに集中していくのです。

土について考えてみましょう。土も古くから世界を構成する基本的な要素として神話や哲学に登場する、人間にとって身近な存在です。土は大地という言葉から連想されるように何か動かないイメージがありますが、実際は違い、長い時間をかけ、生物の力を借りて今の姿になりました。とにかく地球規模の時間の流れなので、人の一生など時間のうちにも入りません。生命誌研究家の中村桂子さんは、この作品のカタロ

内藤礼『このことを』 家プロジェクト「きんざ」 写真：畠山直哉
Rei Naito : "Being given" Art House Project "Kinza"   Photo : Naoya Hatakeyama

グに寄せた「語ることとつくること—静けさと美しさ」の中で、土についてこういいます。

「岩石が長い長い時間をかけて風化し、そこに水が加わり、微生物が暮らし始めて無機物が有機物になる」。そうして植物が生える状態になって、落ち葉や枯れた植物を養分とした微生物がまた増え、そういう生と死の循環を繰り返して今の土になる。

「今では、一グラムあたりの土を手にすれば、そこには数十億の微生物がいるという豊かな状態」で、「ここに至るまでに三十億年近い時間が流れています」。

ここまで来て初めてミミズなどの小動物が住めるようになります。ほとんど変わらぬように見える土も実は生きていて、長い時間をかけて今のようにあるのです。そしてそういうものの上に私たちも生きています。

内藤の土は相変わらず静かな佇まいでそこにあります。しかし慣れてきた目には、フツフツと沸き立つように土の一粒一粒が見えるようになります。内藤が丁寧に整えた土の上を夏には小さなアリが歩いているのが見えるかもしれないし、ミミズが土の一粒一粒を掘り起こし、ベルベットのようにふかふかした土にしてしまっているかもしれません。そういうことを思いながらそこにある土を見ていると、時間を忘れ、悠久の時の中へとイメージはとりとめもなく溢れ出し、目の前の光景と交差して、やがて溶け込んでしまいます。

『このことを』という作品の英語名は『Being given（すでに与えられている）』というものです。ダイナミズムを内に秘めた土の静けさが、すでに与えられている世界の豊かさを伝えます。今あるものは全てに満たされていて、あるがままの姿でよいのだ、というメッセージにも思えるのです。

作品と観客との一対一の関係

さて、『母型』と『このことを』は、観客への関わり方がそれぞれ異なります。『母型』は何人で見てもかまいませんが、『このことを』はひとりで見ます。これは大きな違いです。見るための「静けさ」を求める内藤にとっては、他人がいることが見ることの妨げとなると考えていた時期がありました。

内藤礼の国際的なデビューは鮮烈でした。現代美術のオリンピックといわれるヴェネツィア・ビエンナーレ国際美術展で日本館の代表を1997年に務めます。

出品作は『地上にひとつの場所を』という舞台装置のような作品で、内藤によってつくられた空間を体験するというものでした。天井から吊るされたテントの中に観客がひとりで入るのです。人がいれば、次の人は待ちます。ひとつの作品にひとりの観客が向き合う贅沢な展示方法です。これが大きな話題となりましたが、逆に、噂を聞きつけて観客が押し寄せ、長蛇の列が生まれました。内藤が望んだ観客と作品の「静かな」一対一の親密な関係は、押し寄せる群衆の喧騒に掻き消されてしまいました。内藤は大きな成功を得ましたが、作品世界とのギャップにも悩みました。

内藤にとって作品を見せることは決してスキャンダラスなことではなく、実に普通のことでした。しかし、時間を割いてじっくりと観察するように作品を見てもらうという展示は、なかなかそのまま実現するのが困難でもありました。内藤にとって都会から離れた直島での『このことを』の制作は幸運なことであり、これを転機に、『母型』では何人かの人が同時に見ることができる作品をつくることができるようになりました。

作品か、そうでないかの境界

最後に「つくらない」ということについて。つくられたものでないものを目の前に出されて、これが作品だといわれたら、あなたならどうしますか？

「つくる」「つくらない」に関わる問題です。観客と作品のお互いの関係は目に見えるものを手がかりに成り立ちますが（当たり前ですね。視覚芸術ですから）、観客がそれを作品と了解するかどうかは、それが「つくられたものか」「そうでないか」によります。なぜなら、作品であるならば「誰かによってつくられたもの」だからです。「つくられた」は、そのまま「誰か」作者を保証します。

ところが内藤の作品をこの公式に当てはめると、作品として認識するための視覚的な手がかりが極端に少ないのです。つまり、どこまでがつくられているのか、どこまでが自然の状態なのか、どこまで作者が意図したものなのかがわかりづらいということです。

実は、これはちょっとした認識の問題なのですが〝アーティストが手でつくった〟というところだけに注目して作品を見ていると、内藤がつくる世界（あるいはこのタイプの現代アート）はまったく目に入ってきません。別の視点でないと内藤の作品を認識することができないのです。

例えば画家がある山に感動したとします。それを伝えたい。すると、これまではその山を絵に描いて見せていた。でも現代アーティストは、山の前に観客を連れていってしまう。そして同じように見てもらった。そのほうがストレートに山の凄さが伝わると考えた。こういう直接的な表現になってきます。

それは、アーティストが〝選び、置く〟ことも創造活動だと考える、ということです。つまり「選ぶ」「置く」もつくったことに入るという認識です。そうやって選ばれ、設えられた場所や物たちがつくり出す世界も、表現世界なのです。

これはそのまま、もっと凄い発想にまで進みます。「認識」もアートだというものです。極端な言い方をすれば「これはアートだと思えば、アートだ」ということです。つまり空も作品の一部だと思えば、観客もそのように見ないと見えてこない世界がある、ということなのです。空は誰もつくれませんから、そう意識するしか手がないのですが、そういうふうに作家が想定して空間を設えているのであれば、それも、つまり空も作品の一部として観客も見る必要があるのです。なぜならば、そうして見ないと表現全体としての辻褄が合わない、あるいはよくわからないものになってしまうからです。

これはなかなか難しいことかもしれません。が、一度慣れると、案外、作家が意識しているものとそうでないものとが識別できるようになります。ちょうどスポーツのコートの中と外の境界を見分けるようなものです。見えない境界があって、それを見つけ出すと作家の意識の範囲が手に取るように見えてきます。あるいは認識の境界をどのように設定するかが、現代アートの世界では重要なルールだと言い換えることもできます。

「つくる」より「見る」「感じる」「考える」

　こういった「見るための枠組み」の変化が激しく起こったのは第二次世界大戦後のことで、1960年代、70年代に盛んに行なわれました。もちろんその予兆は、20世紀初頭にまで遡ることができます。そのエポックは第一次世界大戦後です。ダダイズム、シュールレアリズム、未来派など、次々と新しい美術の枠組みが誕生します。第二次大戦でいったん中断されますが、戦後引き継がれ、アメリカ、ヨーロッパを中心に、60年代から70年代にかけて様々な芸術運動が生まれました。その中に、ネオ・ダダイズム、ポップアート、ミニマルアート、コンセプチュアルアート、ランドアートと呼ばれた芸術がありました。それぞれ傾向が異なりますが、基本的には「つくる」ことよりも「見ること」「感じること」「考えること」が重要だと考えるアートです。

　それらは欧米以外にも広がります。2000年前後には、中国、中東、アフリカ、アジア、中南米などにも現代アートの考え方は広がり、それぞれの歴史、風土、文化と結び付き、いくつものバリエーションを生み出し、独自の展開をして今日に至っていますが、今でも「どのように感じ、考えるか」が、読み解く際の重要なポイントです。もちろん日本にも独自の動きがあり、日本的な現代アートが展開しました。内藤もその流れの中にいます。

こうなると、観客が作家と同じような視点でものを見ないと理解できなくなります。これが現代美術を難しく感じさせる要因にもなっているのですが、うまく捉えられると案外楽しいもので、自分の視野の限界もわかって、他者の視野を借りながら世界の広がりを感じていくことができます。

さて、『母型』と『このことを』を通して感じたことは、「普通さ（センセーショナルでないもの）」、「静けさ（騒々しくないもの）」、「生きている土、水」の豊かさや「見えるものと見えないもの」の存在でした。見て、想像することの楽しさを内藤の作品から感じることができたのではないかと思います。また同時に現代アートのルールも少し知ることができたのではないでしょうか。

現代アートでは、「人間」と同様に「自然」が大きなテーマでした。また「つくらないものを見せる」ということも現代アートの手法にはあるということ。そのために見せる場所を定義したり、限定したりして作者の意識の範囲を伝えているということ。その枠の取り方、ルールの決め方が見えてくると、ずいぶんと現代アートは理解しやすくなるだろうと思います。

でも、やはり感じる力が大切で、それがないと何も扉は開けていきません。

内藤 礼

Rei Naito

(1961-)

広島市生まれ。

武蔵野美術大学視覚伝達デザイン学科卒業。1997年、ヴェネツィア・ビエンナーレに『地上にひとつの場所を』を出品、国際的な注目を集める。恒久設置作品に『このことを』(2001年・家プロジェクト「きんざ」)、『母型』(2010年・豊島美術館)。2015年、その存在と作品に迫るドキュメンタリー映画『あえかなる部屋 内藤礼と、光たち』(監督・中村佑子)が制作される。

豊島美術館

◆所在地　香川県 小豆郡 土庄町 豊島唐櫃607 ／ TEL 0879-68-3555

◆入館方法 予約制

◆開館時間 3月1日～10月31日／10:00～17:00 (最終入館16:30)
11月1日～2月末日／10:00～16:00 (最終入館15:30)

◆休館日　3月1日～11月30日 火曜日(祝日の場合は翌平日、月曜祝日の場合は火曜開館、水曜休館)
12月1日～2月末日 火曜日から木曜日 (祝日開館)、年末年始

◆鑑賞料　1,570円 (15歳以下は無料)

◆アクセス 香川・高松港から直島経由で豊島・家浦港、豊島シャトルバスで「美術館前」下車／岡山・宇野港から豊島・家浦港、豊島シャトルバスで「美術館前」下車、または唐櫃港から徒歩15分

家プロジェクト「きんざ」(完全予約制)

◆所在地　香川県 香川郡 直島町 本村地区
TEL 087-892-3223 (ベネッセハウス)

◆入館方法 予約制

◆休館日　月曜日～水曜日 (祝日を除く)

◆開館時間 10:30～13:00／14:30～16:30 (3月1日～9月30日)
10:00～13:00／14:30～16:00 (10月1日～2月末日)

◆鑑賞方法 1人ずつ入館、15分間鑑賞

◆鑑賞料金 520円 (他の家プロジェクトとは別料金)

◆アクセス 香川・高松港または岡山・宇野港から直島・宮浦港、直島町営バスで「農協前」下車すぐ／岡山・宇野港または香川・高松港から直島・本村港、徒歩5分

◎営業時間・入館方法等が変更になる場合があります。
お出かけ前に各施設のWebサイト等で最新情報をご確認ください。

各章から鑑賞ポイントをセレクト!!

名品鑑賞に学ぶ 現代アートを楽しむコツ ❹

観客が「**触れあい**」、共に「**遊ぶ**」ことで機能する作品もある

「作品をまるで遊び道具のように楽しんでもらってこそ作者は本望なのです」

（ART 6 レアンドロ・エルリッヒ『スイミング・プール』）

知覚に直接作用する作品は「**体験**」してみないとわからない

「同じ作品を体験しても、人によって異なる様相の作品が出現することも起こりうる」

（ART 7 ジェームズ・タレル『ブルー・プラネット・スカイ』）

Art 9

太陽と、地球と、私——違った世界が見えてくる

ウォルター・デ・マリア Walter De Maria

『タイム／タイムレス／ノー・タイム』

『見えて／見えず　知って／知れず』

●地中美術館／香川県・直島

●ベネッセハウスミュージアム屋外展示／香川県・直島

多様な解釈を可能にするために作品から遠ざかった作家

現代美術の世界でも最も難解な作品を制作したといわれるウォルター・デ・マリアは、生前は人前に姿を現すこともなく、そればかりか、顔も明らかにしないという徹底ぶりでした。自分の制作した作品について自ら語ることはなく、デ・マリアから聞いた言葉を他人が話すことさえも嫌がったほどです。そうやって自分の存在を打ち消し、作品から遠ざけました。一時はいったい誰がデ・マリアなのかを知る人間もニューヨークの美術界からいなくなってしまったほどでした。この謎めいた態度の背後にあった真意とは何だったのでしょう。それは、

「作者と作品は、別々な存在だ。だから、作品の解釈は作者の考えや発言から自由でなくてはならない。そうなって初めて多様な解釈が生まれ、作品は豊かな存在になる」

という信念でした。

寡作(かさく)ながら、一点一点の完成度はずば抜けて高く、存在する作品は名作揃(ぞろ)い、作品の解釈が何通りも可能ともいわれます。欧米以外ではほとんど見ることができない彼の作品が、なんと、日本の直島(なおしま)に2点もあるのです。世界でも稀少な作品が同じ場所

に2点も存在していることは奇跡的といってもいいことです。それでは、その貴重な作品を紹介しましょう。

芸術を根本から変えた出来事

デ・マリアは、アメリカのアーティストです。アメリカで発展した美術のひとつに、環境芸術とか、ランドアートと呼ばれるものがあります。デ・マリアは、それを代表するアーティストです。環境芸術やランドアートは、アメリカの広大な大地と自然を舞台にした美術で、自然環境や状況も作品の一部と考えます。

デ・マリアは、1977年にニューメキシコ州の砂漠地帯に400本のステンレスの柱を規則正しく立てて、稲妻をそこに落とす『ライトニング・フィールド』という作品を発表し、刻々と変化する自然現象を視覚化したアーティストとして世界で高く評価されました。

それまでの絵画、彫刻とは異なり、つくられた芸術を鑑賞するのでなく、鑑賞者自らが直接体験できる芸術です。これは2つの点で画期的なことでした。

ひとつめは、アーティストが解釈した結果や、芸術的なセンスが昇華した結果生まれた作品を芸術と考えるのではなく、鑑賞者の目の前に広がる現実の体験の中にこそ芸術があると考えたということ。例えばデ・マリアの作品が示したように、雷が落ちるところを見て得た驚きの体験は、その人にとってはそれがそのまま紛れもなく〈芸術〉だというのです。あるいは芸術だ、といっていいほどの高い質を伴った体験である、と。そして、それは高名な画家によって再現された雷の絵に勝るともいうのです。

もうひとつは芸術的な意味、あるいは芸術の本質と言い換えてもいいですが、それは、芸術作品の中に埋め込まれてあるのではなく、鑑賞者と作品の関係によって生まれるというものです。つまりひとつの答えが作品の中にあらかじめ存在しているのではなく、鑑賞者との関わりによって初めて発生し、その関わり方によっては幾通りもの答えが生まれるのであり、その時々で芸術的な内容は変化する可能性をもっているというのです。

この2つの概念の発見は、現代美術において大きな出来事でした。現代美術は、近代美術から多くの要素を引き継ぎながらも、最も本質的な部分で袂(たもと)を分かち、独自の発展を遂げていきます。これは覚えておきたいところです。

地中美術館に差し込む瀬戸内の光

直島は瀬戸内海に浮かぶ香川県の島のひとつで、周辺の豊島(てしま)、犬島(いぬじま)などと合わせて現代アートの島として多くの人が訪れる場所です。ウォルター・デ・マリアの作品は、直島に2点あります。どちらも、球体からなる素晴らしい作品です。同様の球体作品はドイツにもあり、晩年を代表するシリーズになっています。

まず、世界的名作の大型作品が地中美術館にあります。

地中美術館は塩田跡地にあり、設計は直島で数多くの建築を手がけてきた安藤忠雄です。各アートスペースはアーティストの要望に応えて設計していますが、安藤忠雄の建築の特徴がよく出ている、ひときわ完成度が高い建物です。

安藤自身が地中美術館に対して「建築を志して40年、私なりの〈空間の原型〉を求め、探してきた」結果であり、「自身の肉体的な感性が最も直截に表された建築」であると語っている通り、安藤の中にあっては表現性が強く、まるで芸術作品のような趣をもった建築で、強い存在感を放っています。

地表にはただ、光を取り込むための三角や四角の幾何学的な形状をしたコンクリート製の開口部が顔を覗かせているだけです。それが地上から見える数少ない人工物です。けっして建築的な全体を捉えることができないのです。

安藤も、「光より闇を、地上より地中へ」と気持ちが向かったと語っています。国立公園に指定されているエリアであるためデザイン上の規制が多く、それを回避するためにやむなく地下建築へと向かったという側面も否定できませんが、それ以上にむしろ安藤自身の内なる表現欲求に従い、積極的に地中での建築を展開したというのが真実です。その結果、建物の大半が地中に埋まり、外観らしい外観をもたないものになりました。

一方、地中は、まるでアリの巣のように広がっており、四角いコンクリート空間が地下へと続き、外界と隔絶された別世界をつくっています。降りていく途中に、ところどころ外界とつながる大きな開口部があって、そこに瀬戸内の強い陽射しが差し込み、時には風が吹き抜け、雨も降り注いできます。それはまるで洞窟（どうくつ）にでもいるような不思議な自然とのつながりを感じる場所です。洞窟が光の変化に影響を受けやすいのと同様に、地中の空間は外界の光の変化の影響を受け、空間の表情を激変させます。地中の空間だからこそ逆に、限られた自然の要素である光に影響を受けるのです。

安藤忠雄は、空間を地上から隔絶させることで逆に自然を取り入れました。それは限定的なものですが、元来は多様な自然を、光や風、雨などにあえて限ることで、建築のコンクリートとそれらを強く対比させ、抽象化した世界観を提示してみせたのです。この自然と建築の対比によって生まれる厳しい美しさの中に、安藤建築の世界があります。

そして、この自然と人工物の美の対比は、デ・マリアの部屋で、よりいっそう鮮明になっていきます。

完璧な人工物によって浮かび上がる自然の美

建物の最下部、地下3階にデ・マリアの部屋があります。入口に立つと、中には大きな空間が広がっています。縦24メートル、横10メートル、高さ10メートルの空間です。周辺はコンクリート打ち放しで、奥行きがあり、天井も見上げるほど高いのです。この空間サイズは、デ・マリアが安藤忠雄にリクエストしたものです。部屋の左右いっぱいに設けられた階段がゆるやかに上へと続き、中ほどの踊り場には直径2・2メートルの大きな花崗岩（かこうがん）の球体が置かれています。ちょうど部屋の中心部です。磨き上げられた濃いグレー、傷ひとつないこの大きさの花崗岩を探すだけでも大変ですが、それを完全な球体に仕上げ、どこから計っても直径からの誤差は1ミリ以下でできています。

たいていの作家は、頭の中に思い描いた理想を現実化していくときに、多少なりとも妥協しながら仕上げていくわけですが、デ・マリアにとっては、それはまったくありえないことです。どんなに大きく、硬い花崗岩であっても、理想通りに加工されなければなりません。デ・マリアにとっては、誤差があるということ自体があってはならないことなのです。あくまでも理念と現実は一致していなければなりません。

さらに壁には、金箔（きんぱく）で覆われた三角、四角、五角柱がひとつのセットになった木製の立体が全部で27体あります。

これら幾何学的な形態は、人間が意識的につくり上げた人工的なものです。「自然」を感じさせる造形物ではありません。今では人工物は当たり前のように私たちの周囲に存在していますが、大自然の中で生きていた太古の人間にとっては、踏み固められた道であったり、骨から削り出された道具であったり、人間がつくり出した人工物こそが、自分たちを守るものだったでしょう。

今、文明というと自然を破壊し、時には人間をも壊してしまう存在のように捉えられがちですが、本来、人間は文明によって自然の脅威から身を守ることができ、生き延びることができたのです。

デ・マリアの作品は、人間がつくり出すものと自然との関係を改めて考えさせてくれるところがあります。前述したように、彼の幾何学的形態の追求は徹底的で、誤差を許しません。常に精度を求め、息苦しく感じられるほど理想的であろうとします。人の行ないの論理性と完璧性を強調すればするほど、反対に自然のもつ豊かな多様性

ウォルター・デ・マリア『タイム/タイムレス/ノー・タイム』 2004年
写真：Michael Kellough
Walter De Maria 'Time/Timeless/No time' 2004 Photo：Michael Kellough

が浮かび上がってくるようなものでしょう。

作品タイトルは『タイム／タイムレス／ノー・タイム』です。タイトルから連想できるのは「時間」です。ちなみに作品を読み解くときにタイトルは役立ちます。

時間について考えてみましょう。英語の文法には、はっきりと現在・過去・未来の時制があります。-ed を付けて過去形にしなければ、過去に起こったことになりません。それと比較すると日本語の時制は曖昧です。

ちなみに日本人が「時、分、秒」という時間に合わせて生活を始めるようになったのは明治になってからのことです。例えば「暮れ六つ」などの旧来の刻限の概念はずいぶんと任意度が高いものでしたが、それからすれば西洋式は圧倒的に正確で、西洋式の採用後はまったく異なった時間の世界になったことでしょう。

その頃の苦労を伝える浅田次郎の短編小説「遠い砲音」では、江戸から明治へと時代が変わる中、西洋定時法を体得できないまま砲術訓練の指揮を執り、歩兵の頭上に砲弾の雨を降らせてしまう元武士の40歳の陸軍中尉の姿が描かれています。1、2、3秒と刻まれる秒針の動きを見て焦り、結果として客観的な時間を共有することができなかった人間の姿を面白くも悲しく描いています。それほど基本的な概念を変える（文明を変える）ということは難しいことです。

西洋式時間は、客観的で、実際に人と人の間で役立つものとして明らかな存在です。この客観性と存在感こそ西洋式の時間概念の特徴です。ですから、デ・マリアのいう「タイム」もこのような存在としてあると考えたほうがいいでしょう。かつての日本的な、あるいは主観的な時間ではないのです。

そして次の「タイムレス」は、日本語にすると永遠性とか、時間を超えたとかといった意味になります。限定的な時間という枠を超えて、「時を超えた」といったニュアンスでしょう。例えば「彼女の美しさは、タイムレス・ビューティーだ」といえば、「彼女の美しさは永遠の輝きがある」といった意味になります。現実の限界を超えた宗教的な意味の永遠性、普遍性といったこととの関連も想起され、デ・マリアはそういうことを暗示しているのかもしれません。

最後は「ノー・タイム」です。例えば英語でアイ・ハブ・ノー・タイム・トゥー・〇〇といえば、「〇〇する時間がない」という意味になります。つまり「時間がない」状態、物理的に時間がない、ということです。

さて3つの時間概念をデ・マリアは私たちに提示しました。そこでデ・マリアのつくったものをもう一度思い出してみましょう。三角、四角、丸といった幾何学的な造形物です。球体は石でできていますから、少なくとも何千年ぐらいでは変化しないで存在するでしょう。木の上に貼られた金にしてもほとんど変化しない物質です。材料も形態もデ・マリアは基本的には変わらないものを選んでいます。つまり「永遠性」といったことについて考えているようなのです。ここからは私たちがいろいろ考えてみる番です。

普遍的な世界に映し出される移ろいの世界

「時間、時間……」と思って見ていると、これまで変化がないと思っていた空間に思いもよらない変化があることに気がつきました。光による変化です。

時間によって光がどんどん変わっていき、それに対応して空間の見え方が変化していきます。外界から降り注ぐ自然光が、一見硬質で何の変化もないデ・マリアの空間に揺らぎをもたらし、とめどない変化を与えているのです。雲が流れ、陽を遮る、また雲が流れ、陽が現れる。同じところに留(とど)まることなく刻々と変化していくのです。その様子は不可逆的に流れていく時間を感じさせます。まさに豊かに変化する時間と空間を体験しているのです。

ここに「タイム」の世界があるのでしょう。それは私たちの生きている時間、現世的な、この世の時間であり、はかなく過ぎ去ってしまうかもしれませんが、今ここにあるかけがえのない時間でもあります。「タイムレス」の世界のような「永遠性」とは違うけれども、そこには生き生きとした世界があります。

デ・マリアの部屋に入ったときに感じた幾何学的で普遍的な世界の見え方の一方で、差し込む光によって発見した移ろいの世界。その2つの世界の対比によって、デ・マリアは、「タイム」と「タイムレス」の世界を表現してみせました。

さて、それでは3つ目の「ノー・タイム」はどこに行ったのでしょうか。実は私もこれについてうまく捉えきれないのです。ですから、ここからは想像になります。

実は長い時間デ・マリアの部屋にいると、不意にドーンというドラム音が鳴り響きます。何かの拍子に外の音が聞こえたのかと思うのですが、そうではありません。デ・マリアが作品の一部として設定したものです。

デ・マリアは、アーティストになる前はプロの音楽家でドラマーでした。アンディー・ウォーホルが若き日のデ・マリアを音楽家として発掘したといわれるほどの才能でした。ですから音についても相当に考え抜いて使っています。

時間は決まっておらず、不定期に響いています。大体いつも予測を裏切られます。目の前の光景に意識を集中しているときに限って音がするのです。何かに妨げられる感覚とはそういうものです。意識が分断され、視覚から聴覚へ、そして音の世界へと変化に対応しようとします。一瞬の出来事ですけれど、意識がそちらへ向かい、でもそんなに瞬時に対応できるものではないので、時差というか、意識差のようなものが生まれます。その結果、現実の音をはっきりと聞くというよりも、もっとおぼろげなものとして心に掛かるのです。在ったのか無かったのかも確かめられないようなものとして――。

この感覚のことを、もしかしたら、デ・マリアは〈ノー・タイム〉の世界と考えたのかもしれません。しかしこのような解釈も含めて、これまで書いてきたことの一切をデ・マリアは語っているわけではありません。全ては謎なのです。

『見えて／見えず　知って／知れず』

地中美術館の『タイム／タイムレス／ノー・タイム』の前に、実はデ・マリアはすでに直島で作品をつくっていました。『見えて／見えず　知って／知れず（Seen/Unseen Known/Unknown）』です。またずいぶんと思わせぶりな作品タイトルですね。

直島の「ベネッセハウス」は、現代アートの美術館とホテルが一体になった複合施設ですが、そのミュージアム棟である「ベネッセハウス　ミュージアム」の東屋のようなスペースが、チャーター船専用の桟橋の傍らにあります。ベネッセハウスを建設したときに、同じく安藤忠雄の設計によってできたコンクリート打ち放しの部屋です。

ここに『見えて／見えず　知って／知れず』は設置されています。地中美術館にあるデ・マリアの作品の原型となる作品で、花崗岩の球と金が貼られた立体という組合わせも同じで、2つの球体と2組の立体によってできています。

地中美術館とこの作品は、案外離れた場所にそれぞれあるので、同様のシリーズであっても別の作品と認識されがちです。ですが、同じシリーズである以上、互いに大いに関連した作品なのです。それは作品に球体を使っていることとも関連しています。

実はデ・マリアはそれまで大型球体を使ったことがほとんどありませんでした。幾何形体は頻繁に使用しましたが、直線が多く、何となくデ・マリアの作品に球はなじまない印象でした。ですから当初、球の作品と聞いて、私は違和感を覚えたほどです。

さて、説明しましょう。

『見えて／見えず　知って／知れず』のある部屋は南北に長く、かなり横に延びています。採光のための開口部は東面に大きく開いているばかりで、上部にはありません。太陽の光を東から受けるだけですから、朝の早い時間には陽がありますが、太陽が高くなるとすぐに部屋は陰り、大きな影の中に入ります。球体にできる陰影もそれに準じていて、朝の光が差す午前と、影になる午後の時間では、作品の印象は極端に違ってきます。

一方で地中美術館のデ・マリアの部屋は東西に長く、天井の開口面も真上に東西に長くなっています。そのため、光の変化はそれほど急激なものではなく、太陽の移動に合わせて順次、陰影も移動していくのです。光量も南北の部屋よりもはるかに変化が少なく穏やかな移ろいです。2つの作品の印象は同じ球体による作品であるにもかかわらず、大きく異なっています。印象の違いは記憶に残ります。そして、その違いについて考えるうちに、あることに気づかされます。

それは部屋の位置関係です。2つの部屋を合わせるとちょうど東西南北を向いていて、これはデ・マリアが意図したことと思われます。もともとの設計は安藤忠雄が地形や方角を意識してつくっていますが、その特徴をデ・マリアはより強調して作品づくりに利用しています。こういったアイデアのキャッチボールもあるのです。

各部屋で感じた光の違いは方位によってもたらされたものです。私たち鑑賞者は光の違いから方位の発見へと、先に方位を定めたデ・マリアとは逆方向で、彼のアイデアを知ることになります。

では、方位が示すものは何でしょうか。また方位の大事さを感じさせるものは？

それは太陽です。私たちの生命の源である太陽。全てを司る原理。その太陽の隠喩(いんゆ)

ウォルター・デ・マリア『見えて／見えず　知って／知れず』 2000年
ベネッセハウス ミュージアム　写真：大橋富夫

としての球――。それが花崗岩の巨大な球体の理由です。

　そういうことを単に頭の中で起こる認識ではなく、一種の実感を伴った経験として提示してくれるのがデ・マリアの作品です。

　私たちは部屋に身を置き、球体を眺め、それに照り付ける太陽の光や自分の足下に広がる陰影を見ることで、太陽と地球と自分の位置を感じるのです。言葉にすると大仰な話ですが、確かに感じているのです。

　方位も光ももとは太陽にあります。その太陽の周りを回る地球。その存在を抜きにしてこの作品は成り立たないのです。球体や立体だけが作品の要素ではなく、方位、場所、光、頭上の太陽や足下の地球を意識したときに、デ・マリアの想像力の一端を捉えることができます。

　代表作である落雷を呼ぶ『ライトニング・フィールド（稲妻の平原）』や、地表から1キロメートル垂直に地下へ真鍮（しんちゅう）製の柱を差し込んだ『バーチカル・アース・キロメーター（地球垂直1キロメートル）』、五大陸の石を運搬し、一か所に集めて巨大な立方体をつくった『ファイブ・コンチネンタル（五大陸）』など、地球という大きな存在とそこで行なわれるデ・マリアの行為のギャップが、彼の作品を特徴付けるのです。

　デ・マリアが地球への物理学的な興味をもちながら制作していたことがわかるエピ

ソードがあります。『見えて／見えず　知って／知れず』の制作を終えたときのことです。作品を見ながら彼は「小さな球体だがきっと地球と同様の引力をもっている。それを感じることはできないのが残念だ」と語りました。そのとき私は、地球と我々の目の前の球体を同様に扱うデ・マリアの想像力に驚きましたが、しかし思い直せば、彼にとって地球と彼の作品は、同じ物理学的な法則の中で仲良く存在するもの同士だったのでしょう。

球体のシリーズは、直島以外にドイツのミュンヘンにあります。『ラージ・レッド・スフィアー（大きな赤い球）』という作品です。

最後に、公にはデ・マリアは数少ない言葉しか公表していませんが、そのうちのひとつを紹介して終わりにします。

「感覚を思考に　思考を感覚に」――ウォルター・デ・マリア。

ウォルター・デ・マリア

Walter De Maria

(1935–2013)


アメリカ・カリフォルニア州オルバニー生まれ。

カリフォルニア大学で史学と美術を学ぶ。

1960年代には映画製作、作曲、バンド活動など、多様な芸術活動に参加。60年代後半からランドアートのプロジェクトを手がけるようになり、1977年、ニューメキシコに『ライトニング・フィールド』を制作、時代を画す。2013年、病気療養中にロサンゼルスで死去。

地中美術館

◆所在地　香川県 香川郡 直島町 3449-1
TEL 087-892-3755

◆入館方法 予約制

◆開館時間 3月1日～ 9月30日
10:00 ～ 18:00（最終入館17:00）
10月1日～2月末日
10:00 ～ 17:00（最終入館16:00）

◆休館日　月曜日（祝日の場合は翌平日）

◆鑑賞料　2,100円（15歳以下は無料）

◆アクセス 香川・高松港、
岡山・宇野港から直島・宮浦港、直島町営バスで終点「つつじ荘」下車。地中美術館までは屋外作品を鑑賞しながら散策（途中に『見えて/見えず知って/知れず』もあり）、または、ベネッセアートサイト直島場内シャトルバスで移動

◎営業時間・入館方法等が変更になる場合があります。お出かけ前に各施設のWebサイト等で最新情報をご確認ください（上のQRコードから各施設のサイトに入れます）。

Art 10

圧倒的な存在感を放って渦巻くエネルギー

イサム・ノグチ Isamu Noguchi

『エナジー・ヴォイド』 ●イサム・ノグチ庭園美術館／香川県・高松市

「モエレ沼公園」 ●北海道・札幌市

地球を彫刻した男

日本人とアメリカ人、両方の遺伝子をもつイサム・ノグチは、活動場所を父の国である日本、母の国であるアメリカを中心に、ヨーロッパ諸国やその他の国々にまで広げ、旅人のように地球規模で彫刻をつくり続けてきたアーティストです。

時にイサム・ノグチは「地球を彫刻した男」と形容されますが、まさに世界中を巡りながら、石と向き合い、数々の傑作を残してきました。

その活動範囲の広さとバイタリティは凄まじく、イサム・ノグチが芸術の力を信じて自ら前進する力強さを感じます。

実際、イサム・ノグチが生きた時代は、芸術が最も展開した時期でもありました。芸術にも「進化」という言葉が使われるほど、「昨日より、明日へ」と新しさを求めて、前進していった時代でした。

20世紀を迎えて、芸術はより本質に近づくことが可能になり、他に従属しない芸術の「純粋さ」を捉えることができると思われていた時代だったのです。イサム・ノグチ自身も20世紀芸術の申し子として、時代の可能性を信じて、あらゆることに果敢に挑戦していきました。

彼が行なった芸術の領域は、彫刻に留(とど)まらず、舞台装置、環境芸術、陶芸、家具・照明のデザインなど多岐にわたっていきます。

芸術のジャンルを横断し、革新的でユニークな足跡を残していきますが、ジャンルの横断と総合化へ向かっていくという目標自体が、いってみれば20世紀芸術の大きな特徴でもありました。イサム・ノグチは、そういう意味でも20世紀を代表するアーティストでした。

実際、イサム・ノグチは、たび重なる挫折があっても、それを吹き飛ばし、前へ前へと前進していく力強さをもっていましたし、横断した先に見えてくる総合性とそこから誕生した世界観こそが、イサム・ノグチの芸術の真骨頂でもありました。そこには、世界の全てを捕まえる、といった意志が貫かれていました。

第二次世界大戦で日米が対立する時代を経験したイサム・ノグチは、その両方の血をもつ自身の存在に深く苦悩し、両国の存在に強く引き裂かれますが、戦後のイサム・ノグチの足跡は、それを埋め、克服することに費やされていきます。

また、自身の引き裂かれたアイデンティティの統合と20世紀芸術の総合という両者が、イサム・ノグチの制作を通してひとつとなっていくところに、彼の芸術の強さが生まれていきました。

曲線と光が織りなす美の境地

彼の代表作にして最高傑作とも呼べる『エナジー・ヴォイド』を見ていきましょう。

この作品が放つ圧倒的な存在感に、私は見るたびにいつも、打ちふるえるほどの感激を覚えます。高さ3・6メートルと、人間の背丈の2倍はあろうかという巨大な石の彫刻です。

しかし、作品に圧倒されるのは、それが大きいからではありません。管状に整えられた黒い石が、ゆるやかな台形を形づくっているのですが、そこで提示されている曲線が、おそろしいほどに見事なのです。石の表面は、外光を吸収しつつ、同時に内側から光を放っているようにも感じられます。

曲線と光の織りなす美の境地は、いつまでも見飽きるということがありません。「絶対的な美」という形容が、これほど似つかわしい作品はないと思います。

作品名の「エナジー」は「エネルギー」、「ヴォイド」は「空洞」や「虚空」を意味する言葉です。全体としては、「エネルギーの洞（ほら）」といった意味合いでしょうか。

実際、この作品を前にすると私は、エネルギーがぐるぐるともの凄い勢いで流れているような感覚に襲われます。中心は空なのですが、周囲には猛烈なエネルギーの

イサム・ノグチ『エナジー・ヴォイド』 1971年
イサム・ノグチ庭園美術館　写真：野口ミチオ

塊(かたまり)があり、それがとめどなく流れているのです。

素材は黒色花崗岩(かこうがん)石材としては、古くから「御影石(みかげいし)」の名で利用されてきました。それにしても、ひとつの石として見ても見事なものを選んでいます。吸い込まれるような漆黒です。

花崗岩はかなり硬い石として知られており、それをノミで成形したのち、ここまで磨き上げるには、並外れた労力と集中力が必要だったことでしょう。磨きの美しさは群を抜いています。その特徴が見事に表れているのは、勢いよく伸びた直線の形態です。美しいラインが下から上へ、そして横へと続き、無限のループを淀(よど)みなくつくっています。

また、磨きの加減が見事で、石は光を吸い込みつつも、微妙に反射しており、生命感をもったような独特の黒の光沢を湛えています。

この美しいラインと黒い石の光沢、そして、大きさとが相まって『エナジー・ヴォイド』最大の魅力をつくり出しているのです。

3メートルを超える大作ですから、いくつかの石が組まれて構成されています。したがって、いくつかの石の継ぎ目が実は存在しているのですが、実際は、ほとんど目に入らない仕上がり精度です。

イサム・ノグチは、そこまで細部にこだわり、仕上げにこだわりました。イサム・ノグチにとっては、これは単なる細部の仕上げの問題ではなく、このような細部の連続こそが作品であると考えていたのでしょう。それほどイサム・ノグチの美意識は厳密なものでした。

花崗岩の産地・牟礼での出会い

イサム・ノグチの名は、現代アートにさほど興味をもっていない人にも、知られているのではないでしょうか。

広島の戦後復興計画や、１９７０年に大阪で行なわれた日本万国博覧会など、時代の節目となる事業に参画する一方、和紙を使った照明器具やファッション雑貨のデザインも手がけました。生涯の仕事は、彫刻、建築、造園、陶芸、インダストリアル・デザインなど多方面にわたっています。

生まれは１９０４年。英文学者で詩人の野口米次郎（のぐちよねじろう）とアメリカ人作家レオニー・ギルモアとの間に、ロサンゼルスで生まれました。少年時代は日本で過ごすものの、事情あって父の保護には恵まれず、ほとんどの時期を母ひとりの手で育てられました。13歳でアメリカの市民権を得て、以後、多感な思春期と青年期をアメリカで送ります。

ですから、彼の感性や考え方の基本は、アメリカ的価値観の中で身につけたものです。

ニューヨークの美術学校で学んだのち、パリに渡り、ルーマニア出身の彫刻家コンスタンティン・ブランクーシに師事。抽象的な彫刻表現を習得しました。その後、中南米やヨーロッパを旅し、多くの表現者と交わりながら、自分の技を高めていきます。その間にダダイズム、シュールレアリズム、抽象表現、プロパガンダアートなど、様々な表現形式を学んでいきました。

戦後、再び来日し、日本庭園の美しさに気づかされたといいます。

『エナジー・ヴォイド』は、香川県高松市牟礼(むれ)町のイサム・ノグチ庭園美術館に常設されています。ここは、かつてイサム・ノグチの日本における住宅兼アトリエだった場所です。

平安後期の源平の争いに登場する屋島(やしま)にも近い牟礼は、良質な花崗岩を産し、世界一高価な花崗岩である「庵治石(あじいし)」の産地として古くから石材業が盛んでした。牟礼周辺だけで３００ほどの石材店が集まっています。作品に適した石材を求めていたイサム・ノグチは、１９６９年頃、ここを拠点とすることに決めます。材料の石の良さもありますが、それ以上に、のちに最も良き理解者となり、パートナーとなっていった彫刻家・和泉正敏(いずみまさとし)さんをはじめとした、腕のいい石工と出会えたことが大きな要因であったと思います。

以後、牟礼とニューヨークを行き来しながら、創作活動に邁進(まいしん)します。

和泉さんによると、イサム・ノグチとの初期のやりとりは多くの学びに満ちた機会だったようです。当初は自分のほうが技術は上で、石のことも理解していると考えていたそうですが、やがて制作を通して、イサム・ノグチの石への深い理解と芸術性に感銘を受けていきました。そこからイサム・ノグチとの長い付き合いが始まりますが、イサム・ノグチからの学びに終わりはなかったといいます。

イサム・ノグチは1988年にニューヨークで亡くなりますが、和泉さんはその後、生前の様子をそのまま残す美術館の構想をもち、イサム・ノグチ庭園美術館として開館にまでこぎつけました。和泉さんにとっては、イサム・ノグチとの出会いが一生を画するものであったのでしょう。出会ったときの衝撃と、尊敬の念は、生涯消えることがなかったのではないかと思います。寡黙な和泉さんは多くを語りませんでしたが、私は勝手にそんなふうに想像しています。

全ては「美しさ」のために

イサム・ノグチ庭園美術館の最大の特徴は、美術館として整備する部分は最小限に留め、基本的に、生前に住居として使われていたままの状態を今に伝えていることです。

彼の亡くなった瞬間に、この場所の時間も止まっているのです。そしてそれを頑固に守り抜いてきたのが和泉さんでした。

このように和泉さんが考えたのも、イサム・ノグチが厳格な人物で、ものの配置が知らぬ間に変わるのを許さなかったからでした。

神経質だったからではありません。住まい、アトリエの細部に至るまで、彼の美意識でコントロールしていたからです。全ては「美しさ」のためなのです。

牟礼に移る以前のことですが、こんな逸話が残されています。

1951年にイサム・ノグチは、女優の山口淑子（李香蘭）と結婚します。住まいは、鎌倉にあった北大路魯山人の屋敷の一隅に建てた家でした。篆刻家、陶芸家、料理研究家などとして活躍した、あの魯山人です。

完璧主義者だったイサム・ノグチは、自分の周りにある全てのものが、自分の思うままにならないと気がすまなかったといいます。妻の淑子の服の脱ぎ方や、靴の履き方にまで、いちいち注文をつけたのです。自分が理想とする美しさを、妻にも求めていたからです。一緒に暮らしていた彼女にとってはたまらない話でしょう。

そのためでしょうか、結婚生活は5年ともたずに破綻しました。

興味深いことに、癇癪もちとして有名だった魯山人が、イサム・ノグチに腹を立てたことは一度もなかったようです。魯山人も完璧主義者でしたから、自分と同じ性格を若き芸術家に見出したのでしょう。イサム・ノグチの提示する美しさに、魯山人も感心したということです。

イサム・ノグチもまた、生活の中に美を取り入れる術を魯山人に学んだと思います。もともと生き方そのものがアートのような人でしたが、日本的な美のありようを、魯山人の暮らしぶりから取り入れたのでしょう。陶芸の手ほどきなども受けています。そして何よりも、日本の美は生活とともにあるということを学びました。イサム・ノグチの「あかり」と題した照明器具のデザインはその表れです。

牟礼に話を戻しますと、この地を終の住処と決めたとき、イサム・ノグチは「生活とアートが完全に一致した境地」を目指したのだと思います。

自分で設計した建物に、自分がつくったアート作品を、自分が最高と思った環境で置きます。その空間では、人も道具も全て、イサム・ノグチのアートの一部と化すのです。

「美しさ」の中でものごとが秩序立ち、存在する世界をただ目指していきました。

最高の鑑賞は四国の陽射しの中でこそ

そうした目で、改めて『エナジー・ヴォイド』を見ていきましょう。

イサム・ノグチ庭園美術館はいくつかの部分に分かれています。生前の住まいだった「イサム家」と名付けられた日本家屋、石垣で囲まれた石壁サークルと展示蔵、さらに小さな丘に続く彫刻庭園などからなります。最もプライベートな空間だった「イサム家」は、現在は外からのみの見学となりますが、玄関や窓から中の様子を窺うことができます。見学は全て予約制で、ガイドが随行するというのが、この美術館の特徴です。

『エナジー・ヴォイド』は、イサム・ノグチの野外作業場でもあった石壁サークルの隣にある、展示蔵の一番奥に置かれています。ちなみに周りを取り巻く石垣は、伝統的な石組みのようですが、イサム・ノグチのデザインによるもので、作品同様に美しいものです。

石壁サークルには、イサム・ノグチの作品がいくつも置かれています。完成作もあれば、彼の死によって惜しくも未完成となった作品もあり、ほぼ生前のまま置かれています。ここまで来ると、すでに作家の息づかいがひしひしと感じられるほど、彼の

イサム・ノグチ庭園美術館　石壁サークル
写真：野口ミチオ
かつて野外作業場だった場所に今もいくつもの作品が点在する。

世界に囲まれています。

展示蔵に足を踏み入れると、その気配はますます濃厚になります。他の作品をいくつか目にしてから、クライマックスとして、いよいよ『エナジー・ヴォイド』と対面することになります。

その置き場も、もちろんイサム・ノグチが決めたものです。作品が完成してから、設置場所を決め、その周りの様子を整えました。

ですから作品は、ただ置かれているだけではありません。光を取り入れるための横の引き戸、作品を置く三和土（たたき）の佇（たたず）まい、鑑賞用の長椅子のデザインやその位置まで、全て彼が厳密に決めた通りなのです。

特に光の当て方は重要で、『エナジー・ヴォイド』は四季折々の陽射しの違いによって、その印象を微妙に変化させていきます。春先のやわらかい陽光のもとでは、表面の黒色は滋味を増すようですし、夏の強い陽射しを浴びると、くっきりとした明暗が生じます。それぞれの魅力があり、どちらも『エナジー・ヴォイド』の本当の姿といえるでしょう。

この本の中では、置かれた場所や環境も作品の一部であるという例をいくつか紹介していますが、イサム・ノグチはいち早く、その種の試みに取り組んだ作家でした。

第11章で紹介するゴームリーも、作品と置かれた場所とが分かちがたく結び付いた作家ですが、ゴームリーが作品を取り巻く環境にまで手を加えていないのに対し、イサム・ノグチは徹底的に周囲のありようを自分の意に染めました。そうした特徴は、芸術が社会に与える力を純粋に信じられた、近代的な作家性といえるかもしれません。

ちなみに『エナジー・ヴォイド』は、これまでに一度、牟礼を離れ、北海道と東京で開催された回顧展で展示されたことがありました。そのときの会場に置かれた作品は牟礼の本来の展示の姿を見慣れた私にとっては、やや精彩を欠いているようにも見えました。もちろん造形そのものが素晴らしいので、どこで見ようと、その芸術性は堪能できます。しかし、四国の陽射しを浴びてこそ、この作品が最高の状態で鑑賞できるのも、紛れもない事実です。

夏の暑い盛り、空から照り付ける陽射しの強さに半ば打ちのめされながら蔵に入って一瞬闇に目が追い付けずにいると、向こうに斜めから入る強い陽射しを受けて見事に屹立(きつりつ)する『エナジー・ヴォイド』の姿があります。その強さ。

譬(たと)えてみれば優れた仏像を、本来安置されている寺院の本堂と、美術館の企画展で見るときの違いに似ているでしょうか。どちらも得がたい体験ですが、本来の設置場所で対峙(たいじ)したほうが、作品がつくられた意図を率直に感じられる、ということです。

生活をより美しくするためのヒント

イサム・ノグチというアーティストを繙くキーワードは、いくつかあるかもしれません。私にとってこの芸術家は、「極度に研ぎ澄まされた美意識をもった人」でした。それゆえ彼にとってノイズでしかない夾雑物や、彼の秩序を乱す乱雑さが、自分の世界に侵入するのを許さなかったのでしょう。

イサム・ノグチ庭園美術館は、最高の美意識をもったアーティストが提示する空間を、実地に追体験できる場としても、とても貴重なものです。光の取り入れ方、作品と作品との間合い、ものの佇まいを最高の状態で見せるための置き方など、どこをとってもイサム・ノグチの感覚が行き届いています。その場を歩くと、自分のつけた足跡さえ、場の雰囲気を乱すのではないかと気になるほどです。

なにしろ裏の丘の雑草の生え方まで、イサム・ノグチはコントロールしていたといいます。それも「緑のうち10パーセントは雑草を残した」といった数値的なものなら、他の人にも真似できますが、その趣は彼の感覚でしか理解できないものでした。生前は彼が気に入るような草取りができる女性がいて、それ以外の人の作業は認めなかったそうです。今も、スタッフがその意思を継ぎ、雑草の保全をしています。

その丘は、ただの背景ではなく、イサム・ノグチがデザインし、つくり上げた場所です。敷地内には、何も手をかけずに放っておかれた空間はひとつもないのです。全てがイサム・ノグチの手の内にあります。

それほどまでに高度に制御された空間を体験すると、一般の人でも、日常におけるものの見方が変わってくると思います。テーブルに料理を並べるときも、玄関に花を置くときも、心地よく見える色や形、間合いがあることに気づかされるでしょう。

私自身も、ここを訪れるたびに、様々な発想のヒントをもらっています。

私が最初に訪れたのは1992年頃で、イサム・ノグチが亡くなってから4年が経っていましたが、それでも生前のままの張り詰めた空気が満ち溢れていました。私は初めて、人の意志によって秩序立てられた場所やものの美しさを実感し、打ちのめされました。香川県・直島(なおしま)のアートプロジェクトに関わっていた1990年代の私にとって手本となった場所で、特に「家プロジェクト」という企画では様々なヒントをもらいました。以後、私にとってここは、ときおり美の尺度を確認するための場所になっています。

もちろん美術館を訪ねる目的は、緊張感を味わうことではないですから、ガイドの指示に従って自由に鑑賞すればいいとは思います。ただ、そこかしこに少しだけ注意を向けることで、生活をより美しくするためのヒントを得られるのは確かです。

ちなみにイサム・ノグチの拠点はニューヨークにもありましたから、そちらにも多くの関係者がいました。

聞くところによると、アメリカ側の人々は、イサム・ノグチが日本的な「生活と美の一致」に染まるのを快く思っていなかったといいます。純粋アートの世界で、すでに成功している人でした。それだけに日本文化に傾倒すればするほど、ローカルなアーティストになっていくように感じ、それを危惧したようです。今では考えられないことですが、まだ日本とアメリカで文化格差があった時代のことです。21世紀の今日では、地域ごとの文化や価値観を互いに認め合い、欧米の人も異文化を積極的に受け入れる時代になりました。

イサム・ノグチの日本での活動も、世界的に高く評価されています。

最晩年に取り組んだ「モエレ沼公園」

生活とアートの一体化を試みたイサム・ノグチが最後に目指したのが、それをよりパブリックな場に展開することでした。

記念碑的な作品はいくつもつくってきましたが、最晩年に、人々がいる空間全体をひとつのアートとする作品に取り組みます。それが今、北海道の札幌市にある「モエレ沼公園」です。イサム・ノグチがこの公園の設計に着手したのは1988年のことでした。残念ながら完成を見る前に本人は世を去りましたが、彼の理解者たちが事業を受け継ぎ、2005年についに完成しました。牟礼の和泉正敏さんも後を継いだひとりです。

元はゴミ処理場であったという敷地に丘や噴水、遊具などが絶妙な間合いで配置されており、北海道の雄大な自然とアートが融合した景観が展開されています。もちろん全体のデザインも彼が行なっています。春の桜、夏の水遊び、秋の紅葉、冬の雪景色と、四季折々の風情が楽しめるような工夫もいたるところになされています。

私は、この公園を歩くと、イサム・ノグチ自身がそこかしこに立っているような気分になります。丘の微妙な傾斜や、遊具の幾何学的な形など、どこをとっても彼でないと設計できない造形だからです。しかし、それは単に造形にこだわった神経質な世界ではなく、自在に遊ぶ世界へと変わっています。

ここに至ってイサム・ノグチは、自分だけでなく他者を許容する空間をつくり出しています。いや、本当はそうではなくて、イサム・ノグチがこの世を去って、肉体はなくなったけれども、その代わりに、彼の意思を継ぎ、美学を広げていった後継者たちの存在と活躍がそのように感じさせるのかもしれません。

それが、イサム・ノグチ独りで作品と向き合っていた、牟礼のスタジオに残る独特の緊張感との違いなのかもしれません。時間が来ると噴き出す噴水は力強く、大きなピラミッドの山は優雅で、何よりも全てが北海道の自然と同様に大らかです。

モエレ沼公園は、自転車に乗って無心に楽しむのに最高の場所です。

イサム・ノグチは79歳の誕生日にこんな言葉を残しています。「価値あるものはすべて、最後には贈り物として残る」。

もはやこの場所が、イサム・ノグチがつくり上げた芸術であるかどうかは関係がないのです。人が喜びを感じることができる、唯一無二の場所であるというだけで十分ではないかと思います。

イサム・ノグチ

Isamu Noguchi

(1904–1988)

アメリカ・ロサンゼルス生まれ。

少年期を日本で過ごしたのち、再渡米。コロンビア大学で医学を学ぶ傍ら、美術学校の夜間クラスに通い彫刻家を志す。アジア、中南米、ヨーロッパを旅して研鑽を積み、1942年、ニューヨークにアトリエを構える。1969年からは香川県牟礼町を日本の拠点に、日米を行き来しながら、彫刻、庭や公園などの環境設計、家具や照明のインテリアから舞台美術まで、幅広い創作活動を続けた。

イサム・ノグチ庭園美術館

◆所在地　香川県 高松市 牟礼町 牟礼 3519
TEL　087-870-1500

◆入館方法　予約制（申し込みは 往復はがき・FAX・Eメール [museum@isamunoguchi.or.jp] で）

◆開館日　火・木・土曜日
（月・水・金・日曜日、お盆、年末年始は休館）

◆見学時間　10:00 ～、13:00 ～、15:00 ～(各1時間程度)

◆休館日　一般・大学生2,200円、高校生1,100円、中学生以下無料

◆入館料　無料（任意で寄附を受け付けています）

◆アクセス　JR 高松駅から 高徳線・屋島駅より庵治行バスで「祈り岩与一公園前」下車徒歩7分／高松空港から高松行き連絡特急バスで「瓦町」下車、コトデン志度行きに乗り換え「八栗」下車　徒歩20分またはタクシー 5分

◎営業時間・入館方法等が変更になる場合があります。お出かけ前に各施設のWebサイト等で最新情報をご確認ください。（上のQRコードから各施設のサイトに入れます）

名品鑑賞に学ぶ　現代アートを楽しむコツ 5

●**「つくらない**ものを見せる」という**手法**も
現代アートにはある

「空気、水、空、風を作品にする」（ART8　内藤礼『母型』『このことを』）

●作品の**芸術的**な意味は
鑑賞者と作品の**関係**によって生まれる

「答えが作品の中に存在しているのではなく、
鑑賞者との関わりによって幾通りもの答えが生まれます」

（ART9　ウォルター・デ・マリア『タイム／タイムレス／ノー・タイム』ほか）

Art 11

山稜に佇む人に会いに行く

アントニー・ゴームリー Antony Gormley
『ANOTHER TIME XX』

●大分県・国東半島 千燈地区

日本の秘境に立つ人体彫刻

芸術のテーマで最も頻繁に登場するのは「人間」でしょう。芸術は「人間」という概念を中心に、その周辺を探求し続けてきたともいえます。具象的な姿もあれば、抽象的なものも、内面的なものも、外形を映すものもありますが、その表現は時代を下るに従って広がる一方で、より複雑さを極めています。

その中で変わらない表現形式として存在しているのが、具象彫刻であり、人体彫刻です。

人間は、古代ギリシャ・ローマ時代から人体をつくり続けてきましたし、呪術的な人形を含めれば、はるか先史時代まで遡ることができるでしょう。それほど人間の姿をつくることは、我々にとって重要なことであったのです。

２０１４年春、大分県の国東半島にイギリスの芸術家、アントニー・ゴームリーの新しい作品『ＡＮＯＴＨＥＲ　ＴＩＭＥ　ＸＸ』（邦題『もうひとつの時間』）が誕生しました。ゴームリーは、彫刻的な作品を軸に活動しているアーティストで、この新作でも鉄製の人体彫刻が重要な役割を果たしています。

国東半島は、九州の北東部に位置し、瀬戸内海に向かって突き出しています。ほぼ全域が険しい山に覆われており、豊かな自然が残るこの地は、「日本の秘境100選」にも数えられています。

この半島には、古くから「六郷満山」と呼ばれる、独特の仏教文化が根付いていました。日本古来の山岳信仰に、大陸から渡来した仏教が融合して生まれたもので、奈良時代から平安時代にかけて徐々に形成されたといわれています。伝説によれば、8世紀に仁聞菩薩という僧侶が、半島の各地に28の寺を開いたのが始まりとのことです。近隣の宇佐八幡への崇拝や、天台密教系の修験道などとも混じっており、奈良や京都など中央の仏教文化とは趣を異にした、古俗的な信仰の形を今に留めています。

ゴームリーの作品と出会えるのは、国東半島の中でも六郷満山文化の中核的な場所であった千燈地区です。ここは仁聞が最初に寺を開き、修行し、そして入滅した土地です。

標高352メートルの不動山がそびえ、その中腹に、かつては「西の高野山」と呼ばれるほど栄えた旧千燈寺の跡地があり（今は、近くに新しい千燈寺もあります）、山頂近くの崖には不動明王を祀る「五辻不動尊」のお堂が建てられています。

彫刻は、そのお堂の近くにあります。つまり山道をのぼらなければ見られないということです。

宗教的な体験にも似た感動

スタート地点は、旧千燈寺山門です。石材を組み合わせた簡単な門をくぐると、そこから先はおおむね、「峯道（みねみち）」と呼ばれる修行のための道を辿（たど）っていくことになります。

霊気が漂うような深い緑の中、石畳の坂道をのぼっていきます。道すがら数多くの仏教遺構が現れ、歴史の重みや、その土地のもつ記憶といったものに、思いをはせずにはいられません。旧千燈寺跡に立つ一対の仁王像は、一枚岩をレリーフ状に浮き彫りにした珍しいものです。さらに坂をのぼると、供養塔である五輪塔が約１０００基も並んだ場所に出ます。仁聞の墓もここにあります。

茶屋のある少し開けた場所を過ぎたら、いよいよ頂上に向かって最後のアプローチです。見上げる先にあるのは、大地からもくもくと湧（わ）き起こった雲のような形をした不動山。その頂を目指して、つづら折りの階段をのぼり始めます。丸太を利用した階段は不揃（ふぞろ）いで、けっしてのぼりやすいとはいえません。

普段から運動をしていないと、少し息が切れるかもしれません。

歩き始めてから1時間をゆうに過ぎた頃、「馬の背」と呼ばれる、尾根の岩を階段

アントニー・ゴームリー『ANOTHER TIME XX』
Photo：Takashi Kubo ©KUNISAKI ART FESTIVAL Committee

状に刻んだ場所が見えてきます。手すり代わりの鎖につかまらないと、落ちてしまいかねない急坂で、五辻不動尊への最後の難所です。

ゴームリーの彫刻に出会える場所は、その直前にあります。馬の背には行かずに、左手の視界が開けたほうに目をやると、あたかも岬のように延びた岩場に、その像はこちらに背を向けて、すっくと立っています。その先には国東半島の山並みが広がり、陽射しをきらきらと反射させている瀬戸内海が見えます。さらには、本州や四国の影も拝めます。人体彫刻と向き合うためには、細い岩場を注意深く歩いて、突端の近くまで行かねばなりません。

ゴームリー自身の体を象った彫刻は、圧倒的な存在感をもって、その場に佇んでいます。

彼の身長は190センチほどですから、彫刻もそのくらいの高さしかないはずなのに、なぜかもっと大きいように感じます。鉄製の像の表面は防錆加工も施されておらず、風雨にまみれるうちに、早くも全身が赤錆に覆われています。しかし修行の場である聖地にあっては、自然のままに赤錆だらけでいることさえ、荘厳さに寄与しているようです。

アントニー・ゴームリー『ANOTHER TIME XX』
Photo : Takashi Kubo ©KUNISAKI ART FESTIVAL Committee

実際、じっと向き合うだけで、胸に込み上げてくるものがありました。それは芸術作品を鑑賞するというよりも、一種の宗教的な体験に似た感動でした。

自分の体で型をとった629キログラムの人体

ゴームリーは1950年の生まれ。これまで数々の世界的な賞を受けてきた彼の作品のほとんどは、自分の体をモチーフにした彫刻です。

時には抽象的に見える作品もありましたが、それも自分の体の一部を切り取ったものであったり、ある法則によって幾何学的に構成し直したり、体の線を拡大させたものであったりしました。

「ANOTHER TIME」と名付けられたシリーズは、全て鋳鉄（ちゅうてつ）でつくられています。それも自分の体をダイレクトに石膏（せっこう）で包んで鋳型（いがた）をつくり、そこに鉄を流し込んでいるのです。まさに等身大の人体像です。

金属製の彫刻は通常、内側を空洞にして、表面だけを成形するものです。ロダンのブロンズ像もそのようにつくられています。そうしないと、やたらと重くなってしまうからです。

しかしゴームリーのこの作品は、いっさいの空洞がなく、中心部まで鉄が詰まっています。そのため重さは629キログラムと、驚くべき数値です。目の前にしたときに感じる重厚な雰囲気は、この事実と無縁でないかもしれません。無垢（むく）の鉄で彫像をつくるという技法は、古くは鉄仏などに見られるもので、東洋的なものではないかと思います。石彫からブロンズ彫刻へと展開してきた西洋の彫刻の概念の中では稀（まれ）な考え方です。

自分の体で型をとるには、ポーズをとった状態で石膏が固まるまでじっと静止していなければなりません。現代では、速乾性の樹脂も開発されており、手っ取り早く短時間で型をとることもできるのですが、ゴームリーは伝統的な石膏を使った技法を、あえて選んでいます。

その間、目を閉じ、口を閉じ、音もほとんど聞こえない、闇と静寂の中にいます。型をとることとは、「瞑想（めいそう）によって精神を集中させた時間の記録」だと彼自身がいっています。「ANOTHER TIME」というシリーズ名もこれに関係しているのでしょう。

彼の作品に、どこかおごそかな雰囲気があるのは、このためではないかとも推測したくなります。

人間の体の存在感を題材にするという点では、彼の作品は現代アートでありながら、古代ギリシャ・ローマ時代以来の西洋彫刻の伝統を受け継いでいるともいえるでしょう。

私たちはしばしば、ロダンなど近代の彫刻を見て、悲しみの表情や苦悶（くもん）する仕草がよくできているので、「本物そっくり」と感心することがあります。しかし、そういう作品であっても、西洋においては、必ずしもディテールが細かいから評価されていたわけではありません。あくまでも、量感や存在感が表現されているかどうかが、彫刻の良し悪しを決めるのです。遡（さかのぼ）ってギリシャ彫刻の代表であるミロのビーナスを想像してみると、本物を見た人ならば、あまりのボリューム感や実在感に驚くことでしょう。あの量塊感（りょうかい）が西洋彫刻の本質なのです。

歴史的に眺めても、ゴームリーの作品から伝わってくるボリューム感は、現代の具象彫刻としては最高レベルのものです。

第2章で紹介したロン・ミュエクと比較すると、両者の性質の違いがより明らかになります。ミュエクの作品はたいへん巨大ですが、実在感がなく、目の前にしても、ファンタジーの世界に遊んでいるような気分になります。

それに対し、ゴームリーの作品は実寸大ではありますが、たいへんな実在感をもって、そこに存在しています。

「なぜ、そこに?」

ゴームリーの表現活動において、もうひとつの大きな特徴は、作品の置かれたロケーションを重視していることです。

1990年代にヨーロッパの美術館で、私はよくゴームリーの作品に出会いましたが、旧来の彫刻のように部屋の真ん中に台を置いて、その上に作品を載せる、という展示の仕方はひとつもありませんでした。壁の高いところに人体がにょきっと突き出ていたり、床の隅にうずくまっていたりと、部屋の中での空間的な配置に配慮されていて、ゴームリーの人体彫刻の佇まいには、いつもはっとさせられたものです。

彫刻を自然の中に置く行為も、若い頃から試みていました。美術館での展示より、より変化に富み、作品と場所との関係性が強調されます。

「ANOTHER TIME」シリーズでは、人体彫刻は海辺や、高層ビルの一隅に置かれています。それを見れば、ごく当たり前に、人と自然、人と都市との関わりを考えずにはいられません。「なぜ、そこに?」と見る人に考えさせることが、彼の作品にとっては重要な意味をもっているのです。

私は以前、瀬戸内海に浮かぶ豊島（てしま）に彼の作品を置きたいと思って、日本に招いたことがあります。豊島石という石材の採掘場跡が人工の洞窟のような形で残っていました。そこにゴームリーの作品を置くことで、現代版の「胎内めぐり」のようなものがつくれないかと思ったのです。

濃紺のタートルネックにブルージーンズという姿で豊島まで来た彼は、寡黙なイギリス紳士といった風貌でした。エキセントリックなところはなく、ロケーションをじっと観察し、必要に応じて「この場の地盤の強さは?」などと質問してきます。きわめて実務的な人物といった印象でした。

結局、その話は実現しませんでしたが、彼が東洋の文化に深い関心をもっていることがわかりました。聞くところによると、インドやスリランカで3年間ほど仏教を学んだということです。

ですから、仏教文化のある国東半島に作品を設置するという企画を知ったときは、ゴームリーはさぞや乗り気になったに違いありません。

地域の風土とアーティストの出会い

『ANOTHER TIME XX』は、2014年に開催された国東半島芸術祭のために制作されました。

この芸術祭のテーマは、「地域資源とアートの融合」でした。総合ディレクターの山出淳也（やまいでじゅんや）さんは、ゴームリーはじめ、参加アーティストを選出し、コンセプトを作成しました。彼は芸術祭の「開催概要」に、このような意図を記しています。「アーティストの持つ新しい感性やものの見方と、国東半島の土地の力や歴史・文化が出会うことで、この場所でしか鑑賞・体験することのできない作品を生み出し」たいと。

ただ美しい芸術作品によって、地方をきれいに飾ろうというのではなく、アートの力によって、地域の歴史を再発見し、風土の魅力を深く知ろうという試みです。

制作に入る前に、ゴームリーは修験道の聖地である千燈地区をよく歩きました。そして不動山の頂上までのぼり、自分自身で彫刻の設置場所を決めました。

赤錆が浮かびやすい、鋳鉄を素材に選んだのも、この地方の風土との関連を示しています。国東は砂鉄の産地として古くからたたら製鉄が盛んな地であり、今もそれに由来する地名が残っています。それもあって、この地に鉄の彫刻を残したかったのでしょう。

また、ゴームリーは、この地の仏教遺跡や磨崖仏（まがいぶつ）を目の当たりにして、人のつくったものが移ろいやすく、放っておけば自然に還っていくのを実感したことでしょう。

山の中腹には、神道的な遺構として、六柱の神を祀っていた六所権現（ろくしょごんげん）の跡地があるのですが、その近くの岩肌に触れた際には、「時の物語のようだ」と感想をもらしたそうです。

この彫像は、明らかに「風化」というテーマを意識しています。素材となる鉄を選ぶときにも、きれいな赤錆ができるものを選んだことでしょう。現代のアーティストは、一種の工学者の面もあり、素材の研究には余念がないものです。

この彫刻が100年、200年という年月を経たとき、どのような変化を見せるか。雨跡さえ残る表面を見ていると、未来の姿を想像せずにはいられません。

仏教の聖地と現代アートのミスマッチ

彫刻の設置作業には、地元の人々の協力が不可欠でした。600キログラムを超える彫刻を、どのように山の上まで運ぶか。はじめはヘリコプターでの搬送なども考えられましたが、安全面から実現不可能でした。

やがて、山上の五辻不動尊の改装の際に資材を運び上げた経験のある人が、運搬役に名乗りをあげました。麓（ふもと）から設置場所の間に何か所か櫓（やぐら）を組み、その間に長いワイヤーを通して、ロープウェイのように少しずつ輸送したのです。失敗しないように、まず同じ重さのコンクリートのダミー像で試してから、本物を運び上げました。

仏教の聖地に現代アートを設置するのですから、ある種のミスマッチが生じるのも事実です。地元の人々全員が諸手を挙げて賛成したわけではなく、反対意見もありました。

この人体彫刻は、基本的には未来永劫に置かれることを企図していますが、即刻の撤去を求めている人もいます。

反対派の人が、特に問題にするのは、ゴームリーの彫刻が男性器を省略していないことです。顔は目鼻立ちがわからないようにディテールをわざと省いているので、気になる人には、なおのこと気になるようです。

顔の表情をつぶさに造形しないのは、ゴームリーという個人を表現するための彫刻ではないからです。人間というものを普遍的に表した、超個人的なものとしてつくられています。

男性器を省かないのも、実は同じような理由です。

ゴームリーが人体像に男性器を付けるのを忘れないのは、性的な表現のためではありません。その部分が排泄という、人間にとって基本的な生理機能を負っているからです。これらの機能に注意を向けているのは、この作品だけでなく、ゴームリーの作品の多くに肛門や性器が付いていることでも理解できます。それらが頭部、胴部、四肢といった、これまで人体彫刻が注意を払ってきた人体の外形だけでなく、脳、心臓、肺、小腸、大腸、膀胱などの内臓器に対しても注意を向けていることを伝えます。ゴームリーは人間の存在感を表現するにあたり、こういった内部も必要だと考えたのです。

ここでも、人体というものを初源的に表すには、男性器は必要と判断したのだと思います。

もちろん人が生活を送るうえで、普段は隠している部位ですから、公の目に触れるのをいやがる人はいるでしょう。

そうした論争を起こすために、男性器を付けた人体彫刻をわざと設置したわけではないですが、宗教的に重要な場所ゆえにこのような事態が起こるかもしれないということは想定していたでしょう。賛成か反対かを決めるためには対話をしなければなりませんが、そこで人は改めて芸術や宗教について考え、ゴームリーの人体彫刻の意味を深く考える機会をもちえます。そのことも含めて、ゴームリーは自分のアート表現の一部と考えていたに違いありません。

現代のアーティストにとって、芸術の社会的役割を考えることは、避けては通れない道です。自分の作品を通じて、その土地の文化を再考するきっかけができるのなら、それもまたアートの役目と思っていることでしょう。

ゴームリー自身は論争に加わることなく、地元の人の判断にゆだねています。先ほど、その風化までもを計算している作品だといいましたが、今も昔も、作品に変化をもたらすのは自然ばかりとはかぎりません。芸術作品は、しばしば人為的に、その形を変えられたり、置き場所や機能を変更させられたりするものです。現代では、そのような社会での位置付けまでもが、アートの一部になっているのです。

外からの力に抗(あらが)うことなく、ありのままを受け入れるゴームリーの作家性には、非常にイギリス人的な心性を感じます。私の今までの経験からいうと、アメリカ人のほうが、もう少し自分で全て統御したがる傾向にあるように思えるのです。

その土地の風土や歴史を重んじて作品制作をするゴームリーは、日本人には心情的に理解しやすいのではないでしょうか。

置かれた場所も、人々の反応も作品の一部

ゴームリーは、しばしば自分の作品を、「入れ物」に譬(たと)えますが、それはゴームリーが、彼の主義主張を押し付けるのではなく、地域の風土や、見る人の精神性を反映

させることで、初めて作品が意味をもつと考えているからでしょう。

ゴームリーの彫刻に、様々な人々が様々に意味付けし、その土地ならではの価値付けをすることで、作品は作家の手を離れて、初めて本当の意味で存在し始めるのです。

本作についてゴームリーは、「我々が自分自身の内なるものの存在に気づき、穏やかな静寂と寄り添うための、器となることを願っています」と述べています。

具体的にいうと、この作品の鑑賞の仕方は大きく2種類あると思います。

ひとつは、彫刻の背後に立ち、鉄製の人体と同じ目線で、国東半島の自然を見つめるという楽しみ方です。いわば彫刻と一体化した境地です。

もうひとつは、彫刻と向き合い、不動尊が見える山頂部を背景にして造形を鑑賞する方法です。そうすることで、像が置かれたロケーションへの理解も深まることでしょう。

実は、彫刻が置かれた場所へは、さほど時間をかけずに行くこともできます。途中の茶屋まで車道が通じているので、自動車などで行き、そこから10分ほどの山登りで着くことができるのです。体力に自信がない人は、このルートを選ぶのがよいでしょう。

しかし、もしも体力が許すなら、1時間以上かけて、麓から参道をのぼってほしいものです。服装も靴も山登りに適した装備を着けなければならないので大変ですが、手間ひまをかけた分、彫像と出会ったときの感動は、より深まるはずです。

現代アートでは、一枚の絵や一体の彫刻をただ見るだけでは、作品を鑑賞したことにはなりません。

ゴームリーが創造したのも、鉄の彫刻だけではありません。

彼の作品は、彫刻と置かれた場所との関係性によって成り立っています。

つまり、国東半島の歴史や自然を象徴する場所に彫刻を置くことで生じた、人々の時間や距離の感覚、問題意識などを含めた全ての状況が、彼の作品なのです。

ゴームリーのつくる作品は、人体彫刻という、具象的で、古典的な芸術スタイルを一見踏襲しているように見えます。実際そういう側面もあり、見る側も人体彫刻だからとその出来ばかりに気を取られてしまいがちです。しかし、ゴームリーの彫刻の最も重要な点は、人体彫刻を外界へと関連付けている点です。それが周辺とどのように関わり、結び付いているかが最も重要な事柄なのです。

ゴームリーは作品の一部として、強い意志であの場所を選んでいます。あの人体はどこにでも置くことができる、〝場所〟から切り離された自由な彫刻ではなく、あの場所と分かちがたく結び付いた、まるで道祖神（どうそじん）のような存在でありたいと考えられ、つくられました。

しかしゴームリーができるのはそこまでです。そこから先、そのような存在となるかどうかは、土地に暮らす人々次第です。なぜならば、結び付きの強度をつくり出すのは、あの土地に暮らす人々だからです。その意味では、作品を完成させるのはあの場所の人々であり、それも含めた土地だ、ということになります。

そういう意味で、ゴームリーは自らの作品を中空の「容器」と譬えました。

山稜(さんりょう)に立つゴームリーの彫刻は、時間の経過の中で、いろいろなものを乗り越えて、人、場所、風土、歴史というものと分かちがたく結び付いていくことでしょう。

アントニー・ゴームリー

Antony Gormley

(1950−)

イギリス・ロンドン生まれ。
ケンブリッジ大学で考古学、人類学、美術史を研究した後、インドとスリランカで3年間仏教を学ぶ。帰国後、ロンドンの美術大学で本格的に彫刻を学び、以後、人間の存在に関する根源的な問いを通して、彫刻作品の新しい可能性を切り開いてきた。自らの体から型をとった彫刻作品は、イギリス・クロスビー・ビーチの『アナザー・プレイス』（1997年）をはじめ、世界各地に恒久設置されている。

国東半島千燈地区・不動山

◆所在地　大分県 国東市 国見町 千燈

◆アクセス　旧千燈寺跡までJR宇佐駅から車で約50分、大分空港から車で約１時間。彫刻まで旧千燈寺山門から徒歩１時間強、または不動茶屋から徒歩約10分

各章から鑑賞ポイントをセレクト!!

名品鑑賞に学ぶ　現代アートを楽しむコツ⑥

置かれた**場所**や**環境**も作品の一部である

「作者が最高と思った環境に作品を置いたとき、その空間はすべてアートの一部と化す」

（ART10　イサム・ノグチ『エナジー・ヴォイド』ほか）

「**なぜ**、作品が**そこに**置かれたのか」を考えてみる

「作品が周辺とどのように関わり、結び付いているかが最も重要な事柄」

（ART11　アントニー・ゴームリー『ANOTHER　TIME　XX』）

おわりに

美術鑑賞の醍醐味は「見ること」です（当たり前ですがそうなのです）。それと同時に「考えること」です。この2つがうまく重なり合って作品が見えてきます。まさにデ・マリアのいう通り、「感覚を思考に 思考を感覚に」です。どちらに偏っても面白い見え方になりません。

美術作品を見るというのは、自然の風景を見るのとは違い、たとえそれがランドアートのような自然を対象にしたものであっても、アーティストの感性や考えによって切り取られた世界の眺めなのです。そこには必ず他者（アーティスト）が存在しています。

アートを見るとはアーティストの目を通して世界を眺めることです。そこが、ただ自分で風景を見ているのと、アーティストが介入した風景を見ているのとの違いです。現代アートは、〝認識の美術〟だという理由はそこにあります。私たちは〝どのような視点によって世界は眺められているのか〟ということを作品から学ぶのです。

あるアーティストは数理的に世界を眺め、別のアーティストは心理的に世界を眺め、また別のアーティストはおとぎ話のように世界を眺め、また他のアーティストは感情的に世界を眺めていたりします。その人の数だけ異なった世界が存在し、それぞれ独自の価値観、世界観が存在しています。それが現代アートの世界です。ひとつの美に収斂（しゅうれん）することはありません。多様な意識の拡がりがそのまま世界の拡がりでもあるのです。時にはそれぞれの視覚のフォーマットを借りて、一時その人の視界で世界を眺めてみるのも楽しいでしょう。それは譬（たと）えると、違った色眼鏡を掛けて世界を眺めるようなものかもしれません。自分ひとりで世界を眺めているのとは違った世界の多様さを感じることができるでしょう。

自分の見ている世界は案外狭いものです。限界があるように見えるのは、自分の限界をそこに反映させているにすぎない、と優れたアート作品は私たちに教えてくれます。「さあ、想像力を羽ばたかせて！」と語ります。

さて、本書は、私の前書『日本列島「現代アート」を旅する』を大幅加筆再構成して文庫となったものです。前書の刊行から7年経った現在、現代アートが扱うテーマは、文明、歴史、都市、環境、イデオロギー、ダイバーシティ、（反）グローバリズム、（脱）ヒューマニズム、障害、人権、宗教、テロ、（脱）資本主義、アイデンティティ（自我の危機）、コミュニティ、バイオ、ＡＩなどのサイエンスetc.と、まさに拡張し続け、社会課題と直接関わるようなものも増えてきました。

孤独なアーティストから社会参加するアーティストへと、アーティスト像も多様化しつつあります。作品の姿も一様ではありません。意味もさまざまです。

なかには、作品の姿形よりもコンテキスト（文脈）が重要という作品もあり、存在意義と流れを知らなければ作品を理解することもできないという、現代アートの現状と複雑さを示しています。

それでも、現代アートの醍醐味は、終わりない革新性にあります。今も変化し続け、多様化する時代を描き出そうとしています。

本書で紹介した作品たちは、進行中のものからすでに古典化したものまで、1950年代後半以降の各時代を代表するものばかりです。どの作品も時代を表す名作です。

現代アートは、瞬間瞬間のそのときどきで語られることが多く、最先端の「いま」に注意を向けがちですが、半世紀を超える時間の中で、変わらず強固な世界を作り上げ、普遍的な価値を伝えるアーティストの代表作を紹介させていただきました。現代アートに興味を持つ方の背中を推す入門書となれば幸いです。

2022年7月

秋元雄史

巻末企画

街角で見られる現代アート逸品

パブリックアート現代美術作品ミニガイド

日本各地の公共的空間に設置されているパブリックアート。その名品の一部を紹介!! 街角アート散歩に出かけましょう!

※設置場所が変わったり、見られなくなったりする可能性があります。お出かけ前にネット等でご確認ください。

イサム・ノグチ『ブラック・スライド・マントラ』

■北海道札幌市中央区大通西8丁目と西9丁目の間
本書10章でも登場したアーティスト、イサム・ノグチが札幌の大通公園に作った作品。優雅な曲線をもつ彫刻であると同時に滑り台として遊べる遊具で、子供たちや市民に親しまれている。ノグチは「子供たちのお尻がこの作品を完成させる」との言葉を残している。

ロバート・インディアナ『LOVE』

■東京都新宿区西新宿6-5-1新宿アイランド敷地内
アメリカのポップアート作家、ロバート・インディアナの代表的作品。ロゴタイプを使ったオブジェで、類似のものがニューヨークをはじめ、スペイン、カナダ、台湾など世界の都市に設置されている。新宿アイランドにはほかにもメジャー作家の作品が多数展示。

ジョナサン・ボロフスキー『Singing Man』

■東京都新宿区西新宿3-20-2東京オペラシティ敷地内
人体を模した巨大な屋外彫刻や数をカウントするアート作品など、コンセプチュアル・アートからポップ・アートなど、さまざまなアート様式を折衷した米国生まれの作家、ジョナサン・ボロフスキーの彫刻作品。巨人の顎が動き、唄う。オペラシティにはゴームリー作品等も。

ルイーズ・ブルジョア『ママン』

■東京都港区六本木6-10六本木ヒルズ敷地内
フランス出身の女性作家ルイーズ・ブルジョアの、高さ10メートルを超えるブロンズ製の蜘蛛のオブジェ。中央のお腹に20個の大理石の卵を抱えており、作品名の通り亡き母親への愛情を表したものという。六本木ヒルズにはほかにも現代アート作品が多数展示。

名和晃平『White Deer』

■東京都千代田区紀尾井町1-2東京ガーデンテラス紀尾井町内
素材が持つ特性と先端技術を用いて制作活動を行う作家・名和晃平の高さ6メートルのアルミニウムの白い鹿。ビルの森の中、大空を仰ぐ。『White Deer』は同型の兄弟鹿が宮城県石巻牡鹿半島に設置。ガーデンテラスにはほかにも青木野枝などの作品が多数点在。

杉本博司『SUNDIAL』

■東京都千代田区大手町2-3大手町プレイス1F西ゲート南
5章にも登場する杉本博司の"数理模型シリーズ"のひとつ。三次関数の数式を立体的に表現した高さ12メートルの円錐形のオブジェで、作品名のように日時計としても時間と季節を感じさせる。同シリーズの作品がオーク表参道のエントランス天井に逆向きに設置。

ジャウメ・プレンサ『Roots』

■東京都港区虎ノ門1-23-1虎ノ門ヒルズオーバル広場
思索的・哲学的な立体作品を数多く制作する、スペイン・バルセロナ生まれのアーティスト、ジャウメ・プレンサの大型彫刻。膝を抱えて座る巨大な人体像を8つの言語の「文字」を用いて形作り、世界の多様性と人々の平和的な共存をメッセージとして表している。

三島喜美代『Work 2012』

■東京都品川区東品川2-2-35　ホテル「東横イン」前
4章でも紹介している作家・三島喜美代の作品。天王洲アイル駅から5分ほどのホテルの玄関前にある「くずカゴ」。写真では普通のくずカゴに見えるが、実は高さ2,5メートルの巨大なアート作品。カゴからあふれそうな本物そっくりのパッケージゴミはすべて陶製。

ダニュエル・ビュレン『25 Portios』

■東京都港区台場1-4　お台場海浜公園
自身の論理に基づいた8.7センチ幅のストライプ柄を使用した多様な作品で知られるフランスの現代美術作家のモニュメント。お台場海浜公園駅を降りてすぐに、裏表2パターンの2色のストライプで彩られたアーチが整然と連なり、ビルの間を抜けて海に続く。

松山智一『花尾』

■東京都新宿区新宿3-38JR新宿駅東口広場
ニューヨークを拠点に絵画や立体作品を手掛る松山智一の、「花を持っている少年」をモチーフにした作品。自然を表す花と都市を連想させるステンレスを組み合わせた立体を中心に、周囲のスツールや植栽、カラフルな床面も含めて、広場全体が作品になっている。

ジャン=ピエール・レイノー　オープンカフェテラスの赤い植木鉢

■東京都立川市曙町2-8-39ファーレ立川
フランスの現代美術作家、レイノーが、JR立川駅北側の、デパート・ホテル・オフィスビル群等からなるエリア「ファーレ立川」のパブリックアートプロジェクトで制作した巨大な植木鉢。ファーレ立川にはほかにも国内外の有名作家92人の109点の作品が並ぶ。

イリヤ・カバコフ『彼らはのぞきこんでいる』

■愛知県名古屋市中区栄2白川公園内
名古屋市科学館前の噴水広場に設置された、ウクライナ出身の現代美術作家で絵本作家でもある、イリヤ・カバコフの平面モニュメント。16人の少年が柵越しに何か覗き込んでいるが、中央は白=空のような空間で、空を下向きに覗くというパラドックス的な作品。

アレクサンダー・カルダー『ファブニールドラゴンII』

■愛知県名古屋市中区栄2白川公園内
動く彫刻「モビール」の発明と制作で知られ、世界各地に作品が設置され親しまれている、アレクサンダー・カルダーの作品。北欧神話の竜を表したという動く彫刻で、名古屋市美術館の広場に設置。白川公園にはほかにもゴームリーなど多くの現代アートが点在。

草間彌生『花咲ける妻有』

■新潟県十日町市松代3743-1
越後妻有地域で開催される国際芸術祭「大地の芸術祭」で制作され常設展示となった草間彌生の巨大な花のオブジェ。ほくほく線まつだい駅前の「農舞台」に設置。各地に置かれて人気の草間の作品だが、草間自身は「私のお気に入りのナンバーワン」と語っている。

アンソニー・ゴームリー『Mind Body Column』

■大阪市北区梅田3-3

11章でも紹介したゴームリーの初のタワー状の大作で梅田のホテルモントレ大阪前のビルの間に立つ。人体造型が縦に積み上がる形状だが、作家の意向もあり溶接をせずに特殊な技法を用いて組み立てられ、モニュメントとしては稀な免震装置も設けられている。

松永　真『壁ぬけ猫』

■大阪市北区梅田2-5-25ハービスOSAKA南側遊歩道内

ドローイングや彫刻、モニュメントと広範なクリエイティブ活動を行うグラフィックデザイナー 松永真の作品。タイトル通り建物の壁を通り抜ける猫の造型は、街角に微笑みを誘う。ハービスOSAKAビル周囲には松永のユーモラスでシンプルな作品が多数設置。

新宮　晋『太陽の肖像』

■大阪市梅田2丁目6

風や水で動く彫刻や舞台作品などを発表し続けている彫刻家、新宮晋の作品。梅田2中交差点そばの公園に設置。黄色の支柱に支えられた8枚のパネルが風を受けてゆっくり動く。自然エネルギーを使う新宮の作品はパブリックアートにぴったりで各地に設置される。

青木野枝『空の粒子／パッセージ2015』

■大阪市中央区今橋3-4日本生命保険本店東館ビル東側歩道

鉄にこだわる彫刻家・青木野枝の作品。鉄板から溶断した鉄の輪を溶接で繋いだ7本のアーチと2基のオブジェからなる。青木の作品は鉄とは思えない軽やかさと優しさが特徴だが、この作品も、程よく錆びたコールテン鋼が周囲の自然と調和し通行人をほっとさせる。

フリーデンスライヒ・フンデルトヴァッサー
大阪市環境局舞洲工場・舞洲スラッジセンター

■大阪市此花区北港白津1-2-48

湾岸地帯に建つ宮殿のようなカラフルで幻想的な建物は、オーストリア出身の芸術家・建築家で環境保護活動家でもあった作家によるゴミ焼却場と下水処理場。天満駅近くにも同作家の『キッズプラザ大阪』がある。

岡本太郎『太陽の塔』

■大阪府吹田市千里万博公園1-1
日本の現代アートの先駆者、岡本太郎の代表作。1970年の「日本万国博覧会」のシンボルとして建てられたが、半世紀以上経ったいまでも、その迫力と存在感を失わず万博記念公園にそびえ立つ。2018年、内部の復元・耐震工事が行われ一般公開がスタート。

ライアン・ガンダー『本当にキラキラするけれど何の意味もないもの』

■福岡県太宰府市宰府4-7-1大宰府天満宮境内
磁石に吸い寄せられた無数の金属からなる大きな球体がお堂に鎮座。イギリスのコンセプチュアル・アートの旗手ガンダーが、天満宮の「アートプログラム」で神道を意識して制作。境内にはほかにも作品が多数。

キース・ヘリング『無題』

■福岡市中央区舞鶴2丁目5-1「あいれふ」敷地内
1980年代アメリカの現代美術を代表するストリートアートの先駆者キース・ヘリングの、高さ4メートルの赤い犬が踊るオブジェ。彼のこの大きさの屋外作品はまれ。台座はなく子供たちが自由に触れられるようにしたという。敷地には草間彌生の『三つの帽子』も。

ナム・ジュン・パイク『Fuku/Luck,Fuku=Luck,Matrix』

■福岡市博多区住吉1-2キャナルシティ博多内
ビデオアートを確立したナム・ジュン・パイクの大作。1996年に設置され、180台のテレビに当時の最新技術でプログラム映像を映し出した。経年劣化で放映停止になっていたが2021年に修復再生、現在、時間限定で当時のままに180台のブラウン管に映像を放映中。

カール・ミレス『神の手』

■福岡市東区馬出3丁目1-1九州大学医学部構内
ロダンの影響を受けつつも、のちに表現主義的作風をとり入れ独自の幻想的で力強い名作を残したスウェーデンの彫刻家カール・ミレスの作品。九州大学医学部創立75周年記念として構内に設置。高い支柱の台座に立つ造型は古さを感じさせないインパクトを持つ。

●編集・構成　薗田浩徳、鈴木総一郎
●編集協力　原田実可子、小野綾子
●協力　菅谷淳夫

カバー、オビ、本文（一部）
●デザイン　Creative·Sano·Japan 大野鶴子

●協力・写真提供
安田侃彫刻美術館アルテピアッツァ美唄
十和田市現代美術館
DIC 川村記念美術館
アートファクトリー城南島
美術資料センター
小田原文化財団　江之浦測候所
金沢 21 世紀美術館
公益財団法人福武財団
株式会社ベネッセホールディングス
公益財団法人 イサム・ノグチ日本財団
イサム・ノグチ 庭園美術館
国東市役所活力創生課

●パブリックアート写真協力　佐藤百華、庭野晴ゐ、宮田由美子

※本書に記載された情報は 2022 年 6 月現在のものです。

本書のプロフィール

本書は2015年6月6日に小学館より刊行された新書『日本列島「現代アート」を旅する』を加筆・再構成し、あらたに小学館文庫としたものです。

小学館文庫

日本で見られる現代アート傑作11

著者　秋元雄史

二〇二二年七月十一日　初版第一刷発行

発行人　鳥光 裕
発行所　株式会社 小学館
〒一〇一-八〇〇一
東京都千代田区一ツ橋二-三-一
電話　編集〇三-三二三〇-五五一五
販売〇三-五二八一-三五五五
印刷所――中央精版印刷株式会社

この文庫の詳しい内容はインターネットで24時間ご覧になれます。
小学館公式ホームページ　https://www.shogakukan.co.jp

ISBN978-4-09-407165-8